14,90

WILHELMSTRASSE 119
BERLIJN

Staf Knop

Wilhelmstrasse 119 Berlijn

Uitgeverij C. de Vries-Brouwers
Antwerpen Rotterdam

Aan de Ket

CIP GEGEVENS KONINKLIJKE BIBLIOTHEEK, 's-GRAVENHAGE
C.I.P. KONINKLIJKE BIBLIOTHEEK ALBERT I

Knop, Staf

Wilhelmstrasse 119 Berlijn / Staf Knop. –
Antwerpen; Rotterdam: de Vries-Brouwers, 2012.
Trefw.: Autobiografische roman – Tweede Wereldoorlog

Omslag: Brenda Decolvenaer
Foto cover: privéverzameling van de auteur

ISBN 978 90 5927 379 5
D/2012/0189/29
NUR 301

Zonder die vervloekte oorlog zou ik waarschijnlijk nooit een voet in Berlijn hebben gezet. Temeer omdat de gemeentesecretaris van mijn dorp bij Brussel me had verzekerd, dat hij al van bij het begin van de oorlog in 1940 mijn naam had geschrapt van de bevolkingslijsten. De Duitse bezetter maakte er geen geheim van dat alle jonge mannen van twintig en meer, zouden worden verplicht om te gaan werken in Duitsland.

De Duitsers vermoedden niet dat ze daarmee als een leger vijanden in huis zouden halen. Al van toen we amper konden lopen, werd ons ingepeperd dat elke Duitser een vijand was die we moesten bestrijden. Tijdens de speeltijd op school bedachten we spelletjes, waarbij de Moffen het altijd moesten ontgelden. Dergelijke gevoelens werden eeuwig gevoed. Nooit zouden de Duitsers iets kunnen uitvinden om onze mening over hen te wijzigen. En zeker geen nieuwe oorlog. De oorzaak van dit alles was uiteraard te vinden bij de Eerste Wereldoorlog, die ze in 1914 ontketenden. België was de plek waar die werd uitgevochten, met miljoenen slachtoffers. Het was hen dus niet geraden om het nog een tweede keer te proberen.

Tot in 1943 dacht ik dat het ontbreken van mijn naam op de bevolkingslijsten vruchten had afgeworpen en dat ik niet het minste gevaar liep om opgepakt te worden. Het was voor velen zelfs al een uitgemaakte zaak dat de nazi's deze oorlog zouden verliezen. Wat baatte het dan nog om ons naar Duitsland te halen?

Sinds de Duitsers de Belgische neutraliteit hadden doorbroken op 10 mei 1940, was ik me niet bewust van de betekenis van die oorlog. Geen enkel land in Europa had zich voorbereid op een oorlog. Alleen die Duitse brulaap, Adolf Hitler, had zich voorgenomen om beter te doen dan Napoleon en Europa te veroveren. Hij slaagde erin het Duitse volk te overtuigen van zijn "goede" bedoelingen en kon zelfs de zo belangrijke Duitse adel achter zich scharen.

Het jaar 1943 was amper ingezet toen ik bij het verlaten van een filmzaal in het centrum van Brussel werd opgepakt. Ik was nog volledig in de ban van de olijke sfeer uit de Franse prent "La Fausse Maîtresse", die ik zopas had gezien. Bovendien was ik ook niet de enige jonge kerel die in een van die ruime Duitse legerwagens werd gehesen. We werden ergens naar een "Kommandatur" gevoerd, waar we onze handtekening onder een paar papieren dienden te schrijven. In geen tijd kregen we een Duits paspoort toegestopt en bevonden we ons weinig later op een oude boemeltrein, richting Duitsland. Op de bewuste trein bevonden zich uitsluitend jonge lotgenoten. Niemand wist of kende onze ware bestemming. Het regende pijpenstelen toen er na een ganse nacht tot volgende middag te hebben gereden, gestopt werd in Friedrichstrasse Bahnhof. Ik herinnerde me dat de befaamde theaterzaal "Wintergarten" zich in deze straat bevond. Misschien was het de winter, maar in deze bekende winkelstraat en ondanks het middaguur, waren de wandelaars te tellen. Waarom zouden ze ook? In de winkels viel haast niets te kopen, tenzij wat kleren van zakkengoed gemaakt en verder wat worst met kummel en soms wat Kartoffelsalade. De Duitsers hadden honger.

Friedrichstrasse Bahnhof betekende slechts de overstap naar een S-Bahnstation, wat eigenlijk een metrohalte was. Vandaar werden we naar Lichtenrade geleid, een uithoek van Berlijn waar zich het arbeiderskamp bevond waarin we werden ondergebracht. Dat kamp was enorm groot en bestond uit in hout opgetrokken barakken, elk met twaalf kamers die elk zestien britsen bevatten met stromatrassen en miljoenen kakkerlakken. In het midden van elke kamer stond een lange zware houten tafel met tien stoelen. In een hoek van de kamer stond ook een hoge kachel, met een aantal houten blokken ernaast.

Wat mij betreft, was het onmiddellijk een uitgemaakte zaak: op de mij toegewezen brits zou ik nooit slapen. Ik dacht er niet aan mij geleidelijk te laten opvreten door de kakkerlakken. Ik zou de papillen van die beestjes nooit strelen. Elke avond plaatste ik vijf stoelen naast elkaar, spreidde er een deken op uit en dit werd mijn sponde. Het zou ook de plaats worden van mijn stoutste dromen. Allemaal brachten ze me terug naar Brussel, waar ik het liefste en schoonste meisje had achtergelaten. Sonja was Joods en al sinds 1942 samen met haar ouders door de Duitsers weggevoerd. De angstwekkendste geruchten deden hierover de ronde, maar ik bleef hopen op een weerzien wanneer er een einde zou komen aan die oorlog.

De volgende ochtend werden we aanvankelijk vergast op bijna zwart brood met een klontje margarine en een grote kruik, gevuld met warm bruingekleurd water. De Duitser die al dat “lekkers” ronddroeg, liep mank en kon wel honderd jaar zijn. Wie jonger was, zat aan het front. Weinig later werden we opgehaald en naar Postambt 77 overgebracht door een andere even oude Duitser, altijd in uniform. Zonder uniform konden de Duitsers blijkbaar niet leven. Zelfs een straatveger droeg een uniform. De oude man die ons naar Postambt 77 begeleidde, had niet alleen geweldig kromme benen, maar ook een neus van hier tot ginder. Dat bewuste postgebouw waar we te werk werden gesteld, bevond zich in het centrum van Berlijn aan de oever van de Spree en vlakbij Potsdamer Platz. In Postambt 77 werkten bijna uitsluitend vrouwen. Ik kreeg waarachtig het gevoel alsof die wijven ons aankeken als lustobjecten. Allemaal jonge smakelijk uitziende kereltjes die niet ouder konden zijn dan dertig en die nog moesten worden ontbolsterd. Diep in mezelf legde ik de belofte af nooit één van die Fräuleins aan te raken. Ik was jong en onwetend, geboren en opgegroeid in een tijd waarin nog werd stormgelopen voor de heldinnen uit de stomme film. Wie niet geleek op Mary Pickford of Greta Garbo maakte als meisje bij mij geen enkele kans. Bij het ontstaan van de sprekende film werden die godinnen vervangen door Joan Crawford en Ginger Rogers. Zelfs het meisje uit mijn straat dat haar borstjes als kleine pompoenbumpers vooruit stak wanneer ze me in het vizier kreeg, maakte geen kans omdat ze op niemand geleek, zelfs niet op King Kong.

De ervaring die we de volgende dagen in Postambt 77 mochten opdoen was niet negatief. Het gebouw was niet te vergelijken met de post in België, die nog uit de negentiende eeuw stamde. Afgezien van de grote hallen waarin de poststukken werden getrieerd, bestond Postambt 77 ook uit zestien kaaien waar goederentreinen werden gevuld met postpakjes, bestemd voor de soldaten aan het front. In die verzonden pakjes bevonden zich nagenoeg alleen eetwaren, tomaten en appels, maar vooral sigaretten.

Ook wij mochten pakjes ontvangen van thuis, maar die kwamen aan in een ander Berlijns Postambt waar geen vreemdelingen werkten. Alleen Duitse vrouwen en mannen die nog amper op hun benen stonden. Senioren die echter wel over de mogelijkheid beschikten om uit de pakjes te stelen. Toen ik een eerste pakje toegezonden kreeg waarvoor mijn moeder zich de grootste inspanningen had getroost om er wat chocolade en koekjes in te steken, kon ik alleen vaststellen dat er alles werd uitgehaald met uitzondering van een grote pot perensiroop. Ik was niet echt een liefhebber van perensiroop en plaatste die pot op de tafel in het kamp. Vreemd genoeg bleef die pot daar onaangeroerd dagenlang staan. Tot één van de jongens op de idee kwam om een korstje brood in de siroop te duwen en het op een nacht tussen de lippen te steken van de Lode, een kerel uit Turnhout die iedereen 's nachts wakker hield door zijn storende gesnurk. Deze keer begon hij in zijn slaap aan de perensiroop op het brood te likken. We zagen hem allemaal smakken, terwijl de Lode zich van niets bewust was. Hij bleef maar zuigen aan de siroop zodat we hem bijna gingen benijden. Een paar dagen later was de pot met de perensiroop leeg.

Dat alles had tot gevolg dat mijn leeggeroofde pakje me op ideeën bracht. Dagelijks gingen er een paar honderd pakjes door mijn handen in Postambt 77. Die pakjes waren zonder uitzondering bestemd voor Duitse soldaten, mannen die het zich tot hun plicht achtten om anderen te doden. Door zo'n pakje wat lichter te maken zou ik me niet alleen een beetje wreken, maar kon ik er voor een stukje toe bijdragen het Duitse leger te ergeren en het dat misschien ook wat moeilijker te maken. Mogelijk was dit maar een drogreden, maar anderzijds rees ook de vraag of het wel de moeite loonde. Andere mannen in Postambt 77 hadden reeds dit risico genomen en werden op heterdaad betrapt. Ze werden naar de gevangenis geleid op Alexanderplatz, waar ze uiteindelijk meedogenloos werden neergeschoten.

Het stemde tot nadenken, maar toen ik bovendien vernam dat de Duitsers dik betaalden voor sigaretten, die op de zwarte markt werden verkocht in de Yorkstrasse, een straat die voor dergelijke handel berucht was in Berlijn, verdwenen alle twijfels. Het aanschaffen van een degelijk knipmes leverde geen enkele moeilijkheid op.

Het eerste pakje waarmee ik naar "das Abort" verdween, bezorgde me een ontgoocheling vanjewelste. Ik plantte er mijn knipmes in en trok er een dikke rode appel uit, waarmee ik uiteraard niets kon aanvangen. Er bleef me alleen over de appel op te vreten en al de rest in de wc-pot door te spoelen. Dit moest me niet nog eens overkomen. Ik zou de moed niet kunnen opbrengen om er nog verder mee door te gaan.

Mijn werk in Postambt 77 bestond er in feite in de goederenwagons van de treinen die op de kaaien stonden, met postpakken te vullen. Die pakken werden constant aangevoerd door een sleper die op stroom werkte en waarvan er een tiental voortdurend heen en weer reden, komend van de trieerhallen. Ik bevond me in de wagon om de pakken die me werden toegereikt op te stapelen. Dat vergde geen enkele deskundigheid, maar het liet me wel toe om de pakken ongemerkt te betasten, tot ik bijna met zekerheid kon zeggen wat erin zat. Met wat ervaring werd ik er al vrij vlug een expert in. Ik toverde er als het ware de sigaretten uit. Een kamergenoot die wij "De Ket" noemden omdat hij net zoals ik een Brusselaar was, reed met zo'n sleper. De Ket was niet groot en zijn vlasblonde haar herinnerde me aan "De Witte" van Ernest Claes. Bovendien droeg hij een donkergrijze jas, die veel te lang was en bijna tot aan zijn hielen reikte. Waarschijnlijk had hij die ooit van iemand gekregen en liet hij die nooit uit.

Alleen 's nachts strekte hij zich uit op zijn brits en trok hij de jas over zich heen.

Ik geraakte bevriend met de Ket. We vertrouwden elkaar en al vlug deelden we het sigarettenhandeltje, ook omdat de Ket met zijn sleper af en toe naar buiten moest. Hij vond het middel om de gestolen sigaretten naar buiten te smokkelen, zodat we rustig de keuring konden doorstaan bij het verlaten van het postgebouw. Na verloop van tijd konden zowel de Ket als ikzelf terugblikken op een niet-onbelangrijk spaarpotje. De Yorkstrasse was als een goudmijn geworden.

Na de werktijd verkende ik samen met de Ket de Duitse hoofdstad. Onvermijdelijk kreeg ik daarbij steeds meer het gevoel alsof Berlijn een stad met een hart was. Het volstond om de vele vlaggen met het hakenkruis weg te denken, om zich een beeld te vormen van wat Berlijn ooit uitstraalde aan culturele sfeer. Alleen de bombastische Rijkskanselarij deed hieraan afbreuk. Voor de oorlog had ik al eens in een tijdschrift gelezen hoe dat bewuste gebouw er vanbinnen uitzag. Een lange smalle gang waarvan de zoldering tot aan de hemel reikte en leidend naar een buitengewoon hoge zware eiken deur, die toegang gaf tot het kantoor van de almachtige Adolf Hitler. Alles was er verder op gericht respect af te dwingen, een angstgevoel bijna. Veel méér omvatte die Rijkskanselarij niet, met uitzondering van de tuinen achteraan.

De Friedrichstrasse en de Kurfürstendamm vormden de voornaamste uitgaansplekken van Berlijn. Ook nu nog. De Berlijners kenden nog steeds geen verduistering en in het bekende negentiende-eeuwse Hotel Wien op de Kurfürstendamm werd 's avonds nog steeds gedanst op de tonen van een strijkje. En in de niet minder bekende theaterzaal Wintergarten zong de Duitse nachtegaal Erna Sack de pannen van het dak. Anderzijds liet ons spaarpotje ons ook toe om wat zegeltjes te kopen, waarmee men zich wit brood kon aanschaffen. Weliswaar was ik ondertussen gewoon geraakt aan het donkerbruine brood met kummel, maar een sneetje wit met wat margarine mocht er af en toe wel zijn.

Voor de Berlijners was het nog steeds een uitgemaakte zaak dat deze toestand alleen maar kon verbeteren, wanneer de Führer hen de uiteindelijke zege zou melden. In de nazikrant Völkischer Beobachter werd nooit melding gemaakt van het verslagen leger in de Sovjet-Unie. Niemand wist hoe bij Stalingrad 300.000 Duitse soldaten door het Russische leger omsingeld werden en hoe die gedoemd waren om van honger en ontbering te sterven.

Het duurde niet lang meer vooraleer de geallieerde vliegtuigen in de mogelijkheid waren om Berlijn te bereiken. Op 23 augustus 1943 was het zover. En ik deelde in het feest dat op Tempelhof plaats had in volle dag.

Op Tempelhof woonde en werkte een kameraad uit Diegem. Het was een haarkapper en in de nabijheid van zijn woonst had hij een cafeetje ontdekt, waar men de beste Kartoffelsalade met gebakken worst serveerde, mits deftige honorering. Die dag was ik van de partij en deden wij ons tegoed aan het lekkere middagmaal. We slurpten nog aan iets dat op koffie moest gelijken, toen we plots werden opgeschrikt door het vooralarm. De Berlijners kenden dat geluid als geen ander, want wanneer er een vijandelijk vliegtuig nog maar de Duitse grens overvloog, werd er vooralarm geblazen. In Berlijn werd dit vooralarm nooit opgevolgd door het echte alarm. Deze keer echter... was het menens. Het alarm lokte iedereen naar buiten.

Hoog boven Tempelhof waar het stedelijk vliegveld was gelegen, kon men zeker honderd bombardementsvliegtuigen ontwaren. Als grote vogels staken ze af tegen de helderblauwe hemel. Wie op dat ogenblik dacht dat deze monsters gewoon zouden voorbijvliegen, vergiste zich deerlijk. Enkele seconden later vielen de eerste bommen en werd duidelijk het vliegveld geviseerd. Daar bleef het niet bij. In amper een half uur werd Tempelhof omgetoverd tot een hels vuurspektakel en dienden we ons een weg te banen tussen het brandende puin van gebouwen, die er weinig tijd voordien nog als normale woonhuizen hadden uitgezien. Er bleef niets van over en zelfs de opspuitende gesprongen waterleidingen vermochten niet het uitslaande vuur te blussen.

Mijn vriend en ik dachten beiden hetzelfde. De kop is eraf en nu de geallieerden de weg naar Berlijn hadden gevonden, zou het niet lang meer duren of het werd routine. Ze zouden inderdaad niet meer stoppen, en Berlijn als een vlammende toorts tot een richtinggevende vuurtoren in het heelal omtoveren.

Mijn terugkeer in het kamp ging allesbehalve ongemerkt voorbij. Ik zag eruit als een neger die ze net bruingebakken hadden. De rookwolken van Tempelhof hadden hun werk gedaan. De Ket kon zijn leute niet op en voor het eerst viel het me op hoe bleekjes die jongen eruit zag. Wat me nog meer trof, waren de rimpels die zich op zijn voorhoofd aanmeldden toen hij begon te lachen. Zoiets leek me hoogst uitzonderlijk. Dat ik me niet had vergist in de voorspelling dat de bombardementen op Berlijn vlug tot een gewoonte zouden uitgroeien, bleek al na iets langer dan een week. Zelfs ons kamp in Lichtenrade ontsnapte er niet aan. Het werd volledig met de grond gelijkgemaakt. In het puin van onze barak vond ik alleen een kromgebrande lepel en vork terug. Dat bestek had ik maar zelden gebruikt omdat ik de rotzooi van de kampkeuken niet naar binnen kreeg. Toen we naar een ander kamp verhuisden op Schöneberg kreeg ik een ander bestek, maar geen beter eten.

Het kamp in Schöneberg lag dichter bij het stadscentrum en bevond zich in de nabijheid van het Sportpalast, waar de nazikopstukken af en toe hun beruchte redevoeringen kwamen uithuilen. Hitler had er nog maar pas komen uitschreeuwen dat hij die oorlog niet had uitgelokt, maar wél Winston Churchill. Een andere trouwe redenaar in het Sportpalast was Joseph Goebbels, de manke propagandaminister van Hitler.

De aanhoudende luchtaanvallen beletten de Ket en mij niet om geregeld op zoek te gaan naar wat ontspanning. Alle theaters en cinemazalen werden overigens verplicht om hun deuren open te houden, zolang ze in die mogelijkheid waren.

In het beroemde Scala stond al maanden de revue "Fantasia" op het programma en het gerucht deed de ronde als zou het de beste revue ooit zijn. We wilden die niet missen. Alleen al het aantal danseressen op de bühne was niet te tellen. In het midden van de show klonk het vooralarm en werd de zaal ontruimd. Alle kelders en andere schuilplaatsen in de nabijheid liepen vol. Toen het eigenlijke alarm weerklonk, vielen al de eerste bommen. De luchtafweer probeerde de vijandelijke monsters in de vangarmen te krijgen, maar het angstwekkende gefluit van neervallende bommen groeide nog aan. De brandbommen vielen als bij bakken uit de hemel.

Van het eens zo befaamde Scala, waar Marika Rökk, Rosita Serrano en Zarah Leander ooit triomfen oogstten, stond geen steen meer op elkaar toen het alarm werd afgeblazen. Deze showtempel zou voor eeuwig in de herinnering blijven van de Berlijners. Alleen Zarah Leander trok er zich geen bal van aan. Zij was een Zweedse en had zich alleen omwille van het geld laten verleiden om in Duitsland een carrière op te bouwen. Nog voor de oorlog afliep, zou ze Duitsland de rug toekeren en naar haar thuisland verdwijnen. De geschiedenis vertelt dat zij zowat de enige was die Hitler had gezegd dat hij de pot op kon.

Kort na het verdwijnen van het Scala werd ik om tien uur 's avonds door een kameraad opgewacht in de straat, waarin Postambt 77 was gelegen. Ik zou er mijn nachtdienst aanvatten. Jan, die in de "Ausländerstelle" werkte, wist me te vertellen dat ik op de zwarte lijst stond en dat ik zou worden aangehouden. Dat zou betekenen dat ik in de gevangenis op Alexanderplatz zou belanden om er nooit levend uit te komen. 'Bedankt, Jan.'

Enkele seconden later was ik uit de straat verdwenen om er nooit meer terug te keren. Evenmin als in het kamp op Schöneberg. Vanaf die avond zou ik onderduiken in het chaotische Berlijn. Mijn eerste nacht als gezochte door de Gestapo zou ik doorbrengen in het metrostation van Potsdamer Platz.

Met de Ket gebeurde er voorlopig niets. Hij bleef zijn sleper besturen en de sigaretten buitensmokkelen. Die werden hem toevertrouwd door een paar Fransmannen, die ik al eerder in vertrouwen had genomen en die ik liet delen in de winst. Het bleek een goede investering te zijn geweest, want in de Yorkstrasse verschenen steeds meer klanten. Om te geloven dat de sigaret de plaats had ingenomen van de Kartoffel, de aardappel die steeds zeldzamer en duurder werd. De Berlijners werden bang en velen hadden honger. Aan de luchtaanvallen werden ze stilaan gewoon, maar de angst voor de Russen groeide met de klok. Het was maar langzaam uitgelekt dat Stalingrad als het graf van het Duitse leger was. Het feit dat Hitler generaal Paulus tot veldmaarschalk benoemde, kon deze angst voor de Sovjets niet meer temperen. Integendeel. Paulus was de man die het bevel voerde over het leger bij Stalingrad. De Berlijners beschouwden zijn benoeming als een pleister op een houten been.

Anderzijds was het ook geen geheim meer dat de Russen tot voor de Duitse grenzen waren gekomen en dat ze nog voor de Amerikanen Berlijn wilden bereiken. Vooral de vrouwen in Berlijn hielden hun hart vast. Elke dag die voorbijging, was een stap dichter bij die ene Rus die hen zou verkrachten.

En dat was niet alles. De angst voor de Russen werd gedeeld met de vrees voor eigen volk. Niet van de ouderen echter. Die hadden het zo langzamerhand wel begrepen. 'Om met zekerheid in de hel terecht te komen hoef je Hitler niet na te apen en een oorlog uit te lokken,' vertrouwde een oude gebrekkige Berlijner me toe. De anderen die de meerderheid vormden, bleven de lippen op elkaar klemmen. De al oude slogan "Feind hört mitt" had een andere betekenis gekregen. De "Feind" was hun eigen Hitlerjugend! Die kereltjes die nog steeds fier in hun bruinachtig uniform zowat overal opdoken, waren nog de enigen die in hun Führer bleven geloven en hem tot in de dood bleven volgen. Ze zouden het hakenkruis op hun rechterarm eeuwig trouw blijven en de verrader of smaad sprekende sterveling bij de Gestapo aangeven. Ze maakten er zelfs jacht op en dàt ervoeren de Berlijners. Niemand durfde nog zijn mond open te doen, tenzij over het weer. Ook de Ket en ik ondergingen de rotstemming in de Duitse hoofdstad. Zelfs in het metrostation van de Potzdamer Platz, waar wij ons 's nachts dikwijls uitstrekten op een bank, slonk de sfeer naargelang het aantal overnachters vermeerderde. De Ket keerde nog slechts zelden terug naar het kamp. Dat station van de S-bahn op Potsdamer Platz bestond eigenlijk uit twee verdiepen. Vooral het onderste verdiep liep elke nacht propvol, meestal met vreemdelingen. Berlijn beschikte over een paar stevige bunkers waarvan eentje in de nabijheid van Anhalter Bahnhof, niet zover van Potsdamer Platz. In die bunkers mochten echter alleen Duitsers schuilen. Elke buitenlander werd de toegang geweigerd. Niet te verwonderen dat het volliep op Potsdamer Platz.

Ook Anhalter Bahnhof had voor ons geen enkel geheim meer. We kenden elke hoek van het drukke station, van waaruit ook treinen naar België vertrokken. We dweepten al een tijdje met de gedachte om er ons op een avond in te verstoppen.

De ruime hal van Anhalter Bahnhof was voor ons en voor vele anderen als het paradijs. Niet omwille van het vele volk dat men er onvermijdelijk aantrof, maar wél omwille van de geur die bij het overschrijden van de ingang tot diep in je neus doordrong. In een hoek van de ruime hal stond een oud vrouwtje achter een stalletje met gebakken worst. Mogelijk is het maar moeilijk te geloven hoezeer de geur van gebakken worst je in een verheven sfeer kan brengen. Niemand zal echter ontkennen dat een gebakken worst je het water in de mond tovert. Wanneer men zich daarbij de ijskoude winter in oorlogstijd kan voorstellen, is elke tekening overbodig. Ik zou niet weten welke geur van eten met die van een gebakken worst kan worden vergeleken. De Ket en ik hebben tientallen van die worsten verorberd en nooit kregen we er genoeg van. Het bleef maar smaken. Bovendien herinnerden die worsten ons aan thuis, aan Brussel waar in vredestijd niet alleen gebakken worsten in het centrum werden aangeboden, maar ook gebakken kastanjes en hete escargots. Ik herinner me zelfs een bonk van een vent die in mijn wijk elke zaterdagavond de ronde deed met ongepelde hete aardappelen met sprot. Dat smaakte koninklijk met een grote pint bier. Brussel leek me met dergelijke sfeer niet te overtreffen en het oude vrouwtje achter haar stalletje met de geurige worsten waar de kummel uitdroop, verplaatste ons voor een kort moment naar de ons vertrouwde Brusselse sfeer. Ondertussen genoten de Ket en ik van onze vrijheid. De bloedhonden van de Gestapo konden inderdaad niet meer weten of ik nog in leven was of niet. De luchtaanvallen hadden al duizenden slachtoffers gemaakt en Berlijn in een enorme puinhoop herschapen.

Kerstmis was niet meer veraf en de Amerikanen

wilden dat blijkbaar onderstrepen met nog meer bombardementen. De tijd tussen twee aanvallen werd steeds korter. Ze gunden ons waarachtig geen moment rust meer. 's Avonds trokken we nagenoeg automatisch naar Potsdamer Platz. Soms gingen we op zoek naar een hotel waar we ons tussen de lakens konden koesteren. Gelukkig ontbrak het ons niet aan geld, maar een hotel vinden met een vrije kamer was als de zoektocht naar een goudmijn.

Terwijl de Ket het met zijn sleper in Postambt 77 noodgedwongen bleef volhouden, trok ik met mijn kameraad-haarkapper uit Diegem naar Rangsdorf, een dorp waar de S-bahn een eindpunt had en dat bijna uitsluitend bestond uit enkele boerderijen en een hotelletje aan de oever van een tamelijk groot meer, met nog een overwoekerd vliegveldje dat al een hele tijd geen vliegtuig meer had gezien. Mijn vriend, Jef, kende de uitbater van het hotelletje aan het meer, omdat hij er af en toe het haar van Gunther, de huisbaas, ging knippen. Onderweg wist Jef me te vertellen dat die Gunther een been was kwijtgeraakt bij de Duitse overrompeling in Polen en dat hij een gedreven anglofiel was geworden. Gunther wenste de hele bende van Hitler naar de hel. Dat bleef ook voor mij geen geheim, want toen hij vernam dat ik een Belg was die door de Duitsers werd opgepakt, riep hij dat die varkens het vroeg of laat zouden bekopen. Gelukkig was er op dat ogenblik geen knaap van de Hitlerjugend in de omtrek te bespeuren. Iemand anders ook niet. Zelfs het meer lag er verlaten bij. 'Ook in de zomer zien we hier geen mens,' zei Gunther. Rangsdorf was nooit het oord geweest waar de Berlijners kwamen baden. Ze gingen zich in het zand koesteren van Wannsee, het uitverkoren meer niet ver van Babelsberg waar zich de filmstudio's bevonden. Men liep er de kans om Ilse Werner of Kristina Söderbaum tegen het lijf te lopen.

Het moet zijn dat ik bij Gunther in de smaak viel. Al onmiddellijk na de kennismaking drong hij eropaan om nog meer naar Rangsdorf te komen en er te blijven slapen. De uitnodiging werd ten zeerste geapprecieerd, maar afgezien van het feit dat Rangsdorf niet bij de deur was, dacht ik aan de Ket en mijn bijna dagelijkse bezoekjes aan de Yorkstrasse.

Toen Gunther vernam dat ik op het lijstje stond van de Gestapo verwees hij mij naar Frau Melisande, op nummer 119 in de Wilhelmstrasse. 'Zij zal je opvangen,' zei Gunther. Hij had er geen vermoeden van dat hij mij daarmee figuurlijk in de armen gooide van een vrouw, die haar stempel zou drukken op mijn verdere levensloop en de herinnering zou nalaten die me voor eeuwig zou bijblijven.

***

De puinhopen van Berlijn hadden zich getooid met een witte vacht die de kersttijd alle eer aandeed, wat de aanblik van de Kurfürstendamm in een vettige modderige brij herschiep, maar de Tiergarten tot een sprookjesachtig tafereel herdoopte.

Omwille van de drukte was er in de Wilhelmstrasse van de sneeuw nog nauwelijks iets te merken. De Ket had ook al onmiddellijk in de gaten dat nummer 119 nog recht stond en geen schade had geleden. Weinig verder was dat al niet meer het geval en waren de puinhopen niet meer te tellen. Tegenover het nummer 119 bleek de muur waarachter zich de tuinen van de Rijkskanselarij uitstrekten amper beschadigd. ‘In deze tuinen heeft Hitler een bunker laten bouwen met alles erop en eraan, voor het geval het hem te warm zou worden op zijn berg in Berchtesgaden,’ mompelde de Ket.

‘Hoe weet je dat?’ wilde ik weten.

‘In Berlijn weet iedereen het,’ zei hij.

Het nummer 119 in de Wilhelmstrasse zag eruit als een gewoon rijhuis, met twee verdiepingen. Op de brede toegangsdeur werd bescheiden vermeld dat het om een pensionnetje ging. Toen we aanbelden, bleek de verschijning van Frau Melisande een totale verrassing. Voor ons stond een vrouw die er zeker niet uitzag als een 70-jarige, zoals Gunther ze had afgeschilderd. Deze dame had niets van de klassieke Duitse vrouw op leeftijd. Frau Melisande was eerder groot en slank met gitzwart haar tot op haar rug. Indien ze het kleurde, kon dat alleen met Chinese inkt, dacht ik. Ze herinnerde me aan Louise Brooks, de Amerikaanse filmschoonheid die beroemder was omwille van haar zwarte carré-kapsel dan om haar talent als actrice.

Frau Melisande keek ons aan met ogen waarin een lichtje brandde. Ik zocht vruchteloos naar een paar rimpels op haar gelaat, maar evenals op haar huis viel er geen schade te bespeuren. Die vrouw maakte nu al een geweldige indruk op ons. Tot hoever de ervaring met vrouwen bij de Ket reikte, was mij niet bekend, maar wat mij betrof... was die totaal onbestaand.

Blijkbaar volstond het om de naam van Gunther uit te spreken om bij Frau Melisande een glimlach op het gelaat te zien verschijnen. Ineens onderging ze als het ware een metamorfose en van Louise Brooks ontpopte ze zich tot Hedy Lamarr. Het zal wel normaal zijn dat mijn verbeelding mij hierbij parten speelde, maar ik was nu eenmaal een fanaat van de Hollywoodfilms. Ik was nog zeer jong toen ik kennis maakte met de stomme film en Rudolf Valentino, om dan over te gaan naar de sprekende film en Gary Cooper.

Frau Melisande troonde ons mee naar haar woonkamer, die er ook al uitzag als een filmdecor. Gemakkelijke zetels en vele kussens vormden er de meeste bestanddelen van. Verder een brede kast waarin allerlei kleine porseleinen beeldjes de aandacht trokken. In het midden van de kamer stond een vierkante eiken tafel met kanten doekjes erop.

Melisande nodigde ons vriendelijk uit om te gaan zitten en zei lachend alles over ons te willen weten. Het interesseerde haar duidelijk om te weten vanwaar we kwamen, waarom we precies in Berlijn waren terechtgekomen en waarom Gunther ons naar haar had gestuurd. Ondertussen trakteerde ze ons op een brouwsel van eigen makelij, dat we gulzig naar binnen zwolgen. Ik wou uit dat huis nooit meer weg. Over haarzelf vertelde Melisande niet zoveel, tenzij dat ze al twee jaar weduwe was en dat haar echtgenoot een Duitse wetenschapper was, die in Peenemünde was omgekomen tijdens een experiment met de vliegende bom. Hij werkte er aan de zijde van Werner von Braun. Melisande benadrukte echter dat haar man geen nazi was en dat hij op geen enkel gebied de standpunten van Hitler deelde. Het verbaasde ons dat Melisande ons al onmiddellijk in vertrouwen nam. Daar zou de aanbeveling van Gunther wel voor iets tussen zitten.

Uiteindelijk toonde ze ons de kamer die ze ons voor tien mark per dag ter beschikking stelde. Andere huurders waren er niet in haar pensionnetje. We vermoedden echter dat ze er gewoon geen wilde en dat ze ons aanvaardde dankzij Gunther. Tien mark was overigens een spotprijs.

Het kan vreemd klinken, maar ondanks het feit dat er in onze kamer op de eerste verdieping een kast stond om er wat kleren en ondergoed in op te bergen, had ik niet eens een proper hemd om erin te leggen. De weinige kleren die ik had, afgezien van diegene die ik droeg, waren in Schöneberg gebleven. Maar ook dit kamp ging volledig in de vlammen op, zodat ik mijn rijkdom op mijn lijf droeg. Ook dàt moest Gunther geweten hebben, want Melisande kwam me tegemoet met het voorstel om een keuze te maken uit de achtergebleven kleren van haar echtgenoot. Ook de Ket kon daarvan genieten, maar zijn veel te lange jas wilde hij niet kwijt. Melisande zou ons nog meer vertroetelen. Ze stelde ook haar badkamer ter beschikking, waarvan we gretig gebruik maakten. Daarna draafde Melisande nog aan met hemden en onderbroekjes van haar overleden man.

In de ons toegewezen kamer deelden de Ket en ik een dubbel bed. We beschouwden het als een meevaller omdat we 's avonds laat in bed nog altijd wat te vertellen hadden, al beperkte zich dat meestal tot de belevenissen van de Ket in Postambt 77. Wat ik in de Yorkstrasse meemaakte, interesseerde mijn makker maar matig. Die vertelavonden in bed werden ook dikwijls onderbroken door een luchtalarm. En altijd kwam Melisande ons bijna smeken om naar de kelder te gaan. We volgden haar nooit. We waren de bombardementen zo gewoon geworden dat we er ons niet meer aan stoorden. We werden waarachtig vertrouwd met de overtuiging dat we Berlijn nooit levend zouden verlaten.

Deze keer was het anders. We lagen nog maar pas tussen de lakens toen het vooralarm alweer een luchtaanval aankondigde. Weet ik veel waarom, maar ik kreeg het voorgevoel dat het feest deze keer voor onze wijk was. Dat bleek ook al van bij de eerste vallende bom, waarvan het sissende geluid ons vertrouwd in de oren klonk. We kenden dat bijzondere gefluit wel van een bom die in de buurt zou ontploffen. Ook nu weer. We werden opgeschrikt door een slag die niet te miskennen was. Dat was vlakbij. De Ket zette zich ineens rechtop in bed.

Bij een volgend gebulder zagen we een muur in onze kamer lichtjes naar voren buigen. De Ket keek me aan en zei stil, dat het ons deze keer misschien geraden was om toch maar naar de kelder te gaan. Als de bliksem sprongen we uit bed, trokken we onze broek aan en renden we naar beneden. We troffen er Melisande aan, die ons opgelucht verwelkomde.

Die kelder bleek niet zomaar een kelder. Indien ik me een kelder altijd had voorgesteld als een ondergrondse donkere ruimte met afgedankte huiswaren, potten en pannen waarin muizen welig tierden, troffen we de kelder van Melisande aan als een uiterst comfortabele kamer waarin zelfs geen gemakkelijke ligzetels ontbraken. Er stond ook een kast waarin potten met confituur en worsten in gelei als belangrijke kunstwerkjes stonden uitgestald. Wat ons echter nog meer opviel, bleek een deskundig uitgeruste apparatuur te zijn voor ontvangst en radio-uitzendingen. Want Melisande luisterde naar de Britse uitzendingen, vertrouwde ze ons toe nadat we haar vragend hadden aangekeken. Wist zij wel goed welk gevaar ze daarbij liep? Het kon haar de kop kosten en de onze erbij.

Toen we zinspeelden op de gevaren van dergelijke technische apparatuur in huis, wuifde Melisande onze opmerking met een glimlach weg.

'Om te beginnen komt hier geen mens in die kelder, tenzij jullie omdat ik jullie verwachtte. Nu zitten we samen in de boot,' riep Melisande.

De Ket en ik keken elkaar aan alsof ze ons iets onverstaanbaars had gezegd. Wat bedoelde ze verdorie met "samen in de boot"? En dat er niemand in die kelder zou komen leek me een zeer optimistische kijk. De dag waarop de Duitsers lucht zouden krijgen van haar installatie zouden ze vlugger in die kelder staan dan haar lief was.

'Nonsens,' zei Melisande toen ik haar wees op die mogelijkheid. Ze verzocht ons om even de kelder te verlaten en goed op te letten. We hadden amper de deur van haar kelder achter ons dichtgetrokken, of een stil zoemend geluid ging gepaard met het neerdalen van een stenen muur op een stalen plaat. Van de kelder was er niets meer te zien en de muur zag eruit alsof die er altijd was geweest. We keken ons de ogen uit het hoofd. Nergens was er iets abnormaals te bespeuren.

De muur ging alweer naar omhoog en Melisande verscheen in de deur van de kelder.

'Zelfs met een tank kom je niet door die muur,' merkte ze op. 'En van mijn installatie kunnen ze niets opvangen.'

We geloofden haar. Vooral de toon waarop ze dit zei, overtuigde ons. 'Ik ben in oorlog en dat zullen de nazi's geweten hebben,' mompelde ze.

'Mogen wij het misschien ook weten?' vroeg de Ket.

'Alles op zijn tijd,' klonk het.

We werden uitgenodigd om weer te gaan zitten, terwijl Melisande ons een biertje aanbood. Over de radio-installatie werd er niet meer gesproken en toen het alarm werd afgeblazen, zochten we onze slaapkamer op. Geen van ons beiden kon de slaap vatten. Het was ons duidelijk dat Melisande geen vrouw was zoals een ander. Ze voerde haar oorlog, beweerde ze. Welke oorlog was dat dan? Gunther moest er meer van afweten.

De volgende ochtend sprak Melisande tijdens het ontbijt nog maar weinig over "haar oorlog". Onze nieuwsgierigheid was echter gewekt. We wilden graag wat meer weten over de geheimzinnigheden van onze gastvrouw. Aanvankelijk wezen we haar op de onmogelijkheid om uit de kelder te ontsnappen wanneer de Duitsers voor die muur zouden staan.

'Er is een tunnel,' antwoordde Melisande.

'Die hebben wij niet gezien,' merkte ik op.

'Dat kan ook niet want ik alleen weet hoe hem te

vinden. Van in mijn kelder leidt hij rechtstreeks naar de overkant in de tuinen van de Rijkskanselarij.'

Het scheelde geen haar of we hoorden het in Keulen donderen. Wat zat dat mens daar te raaskallen? Van in haar kelder kon ze als het ware op de schoot van de Führer gaan zitten. We begrepen uiteraard wel dat indien er werkelijk een tunnel was in die kelder, die alleen onder de Wilhelmstrasse mogelijk was en in de tuinen van de Rijkskanselarij moest uitmonden. Maar hoe moest je dan ontsnappen?

'In die tuinen van de Rijkskanselarij zal niemand me zoeken,' lachte Melisande.

Daar moesten de Ket en ik nog wel even over nadenken, maar ook wij kwamen tot de conclusie dat het vernuftig klonk. Die tuin van de Rijkskanselarij was ook niet te vergelijken met het moestuintje van mijn grootmoeder.

De Ket kon zijn nieuwsgierigheid niet op en vroeg langs zijn neus weg wat ze met die radio-installatie nog méér deed dan naar de Britse radio luisteren.

'Indien jullie goed gekeken hadden, zouden jullie gezien hebben dat er niet alleen ontvang- en zendtoestellen staan. Ik beschik ook over een telex.'

Ik zat me af te vragen wat we nog allemaal zouden vernemen en waarom Melisande ons in vertrouwen nam. Lang duurde het echter niet vooraleer het ons duidelijk werd gemaakt.

'Jullie moeten mij helpen. En Gunther heeft me geseind dat het geen probleem zou zijn.'

Het klopte dat het inderdaad geen probleem zou zijn, maar indien ik er rekening mee hield dat er vandaag of morgen een bom op mijn kop kon neerkomen, was het zeker niet de bedoeling om de dood uit te dagen. En dàt was wat Melisande ons voorstelde.

Wat de Ket erover dacht, wist ik niet zeker, maar ik had wel het gevoel dat hij het avontuur gunstiger gezind was dan ik. De keuze stelde zich echter niet. Melisande had al gezegd dat we met haar in de boot zaten en dat kon niet anders. Hoe we haar zouden helpen, was maar de vraag.

Nog diezelfde avond toonde ze ons de tunnel en vertelde ze ons dat haar echtgenoot, professor Thomas Reichstadt, van de kelder een ware bunker maakte en ook de tunnel bouwde. Hij deed het allemaal nog voor de oorlog, toen de bedoeling van Adolf Hitler duidelijk werd en er geen twijfel meer bestond over een nabije oorlog. 'Die man dacht werkelijk ervoor geroepen te zijn,' meende de professor.

Toen wij ons verbaasden over het feit dat de nazi's die radio-installatie tot nog toe niet hadden gedetecteerd, vertrouwde Melisande ons toe dat haar echtgenoot ook daarvoor een oplossing had gevonden. Indien de nazi's de uitzendingen vanuit Londen konden verstoren, kon onze gastvrouw dat ook voor de Duitse ontvangers. Haar uitzendingen konden alleen in Londen worden opgevangen. Ze gaf daarover nog een paar technische verduidelijkingen, maar dat klonk alweer als Chinees in onze oren. Feit was dat zij ons als de ongrijpbare spionne overkwam, want sinds het overlijden van haar man bleef ze in contact met een paar vrienden-wetenschappers in Peenemünde en stuurde ze geregeld de technische gegevens voor de bouw van de vliegende bom naar Londen. Eigenlijk waren wij te klein en onbevoegd om in dat soort van spionage een rol te spelen. We waren er wel door geboeid en vonden het zelfs een grote eer om eraan te mogen deelnemen.

'Dat hebben jullie aan Gunther te danken,' zei Melisande.

De eerstvolgende dagen werd er over de plannen van Melisande niet meer gepraat. De Ket bleef zijn werk doen in Postambt 77 en ik kuierde maar wat rond in een dode stad. Met mijn gedachten bleef ik bij Melisande, de kelder en de rol die zij speelde in een oorlog, die eigenlijk een vals beeld was van een wereld die in werkelijkheid geroepen was om van de twintigste eeuw de vindingrijkste te maken in de geschiedenis aller tijden. Daar had slechts één man nu een stokje voor gestoken, een man die er alleen op uit was zijn wraakgevoelens bot te vieren en de macht over Europa te veroveren. Hij moest er zich nu al van bewust zijn dat hij gefaald had en dat hij een aantal fouten had begaan, die hem onvermijdelijk naar de ondergang zouden drijven. Zijn aanval op Rusland was er slechts één van.

Berlijn verdiende Adolf Hitler niet, ofschoon het Duitse volk de Führer bijna blindelings was gevolgd. Berlijn was altijd een cultuurstad geweest, die liet vermoeden dat er belangrijke wijsheid huisde. Hoe kon een pierewaaier van het laagste soort er dan in slagen het volk aan te zetten tot daden, die niets te maken hadden met cultuur?

Gelukkig waren er nog mensen zoals Melisande, die zich verzetten en die zich bewust waren van de verkeerde en foute richting die het land was ingeslagen.

Vooral dààrvan werd ik me bewust en ik besefte dat Melisande geen alleenstaand feit was. Er moesten er meer zijn.

Dat Melisande zich niet zou beperken tot het vertrouwen dat ze in ons had en ons haar mogelijkheden had getoond, drong geleidelijk tot ons door. We vermoedden echter niet dat het zo vlug zou gebeuren. Weliswaar droegen er de omstandigheden toe bij, want Londen was niet meer tevreden met het doorseinen van berichten over het werk van de wetenschappers in Peenemünde; men wilde de wetenschappers erbij. Deze opdracht was niet meer eenvoudig. Er werd haar vanuit Londen medegedeeld dat Roosevelt, de president van de Verenigde Staten, zich door Albert Einstein, de ontdekker van de splitsing der atomen, had laten overtuigen van de mogelijkheid om een bom te bouwen die de oorlog niet alleen zou inkorten, maar er mogelijk onmiddellijk een einde aan zou stellen. Dit zou beletten dat er nog duizenden slachtoffers zouden vallen. Einstein weigerde echter om er zélf aan mee te werken. Roosevelt had niettemin zowat vierhonderd wetenschappers bij elkaar gebracht in Los Alamos, een plek in de woestijn van New Mexico. Ze bouwden er de eerste atoombom onder leiding van professor Oppenheimer. De Duitse wetenschappers in Peenemünde hadden echter al heel wat ervaring opgedaan en moesten nu maar overgeplaatst worden naar Los Alamos. Roosevelt was ervan overtuigd dat tenminste enkelen op het voorstel zouden ingaan. Hoe ze naar Londen konden worden overgebracht was nu het probleem van Melisande.

Toen de Ket en ik daarvan door Melisande op de hoogte werden gesteld, konden we maar moeilijk geloven dat wij daarin een rol zouden kunnen spelen. Zelfs Melisande wist niet onmiddellijk hoe ze de dingen moest aanpakken, ook al werd haar vanuit Londen nog medegedeeld dat ene Lorette zich in Peenemünde inliet met de bewuste wetenschappers een toekomst te voorspellen in Los Alamos. Zij die door Lorette werden overtuigd, zouden op eigen kracht naar Berlijn komen, vanwaar dan de taak van Melisande begon. De bewuste wetenschappers moesten in Spanje geraken, waar ze werden opgevangen en naar Londen werden overgevlogen.

De Ket geraakte volledig in de ban van het vooruitzicht om een einde te stellen aan die oorlog, of er alleszins voor een deeltje aan mee te werken. Mij wilde het eerder voorkomen alsof hij die mogelijkheid wat overschatte, wat meteen de vraag deed rijzen of president Roosevelt dat ook niet deed. De Verenigde Staten hadden ook nog af te rekenen met de Jappen, die er niet voor terugdeinsden hun leven in te zetten voor hun land. Wat zou een bom daaraan kunnen verhelpen, ook al was ze nog zo destructief. Een atoombom bovendien. Wat moesten wij ons daarbij voorstellen, tenzij een grote rookwolk?

Vrij vlug ontving Melisande het bericht dat Lorette Weinfeld met haar contact zou opnemen. Er werd nog bijgezegd dat de bewuste Lorette Weinfeld de weduwe was van een Duits officier, die was gesneuveld in de slag om Stalingrad. Zowel haar echtgenoot als Lorette zelf behoorden tot de Britse inlichtingendienst. Het contact bleef overigens niet uit. Gunther verscheen echter op het veld. De ontmoeting met Lorette zou in het hotelletje van Gunther plaatshebben, omwille van de veiligheid. Rangsdorf was als een godvergeten gat waar geen mens naartoe ging. De Gestapo verscheen er maar sporadisch.

Melisande duidde mij en de Ket aan om als eersten kennis te maken met Lorette bij Gunther. Hij had daarvoor een doodeenvoudige reden gevonden om het als normaal te laten voorkomen. In het dorp zou het huwelijk plaatshebben van een boerendochter, waarop de Ket en ik, maar ook Lorette, werden uitgenodigd. Het zou als een familiebijeenkomst gebeuren. Tijdens het feestmaal dat in Gunthers hotelletje zou plaatshebben, zouden Gunther en Lorette met ons in een kamer verdwijnen om de zaken op punt te stellen.

Met Gunther waren we nog niet aan het einde van onze verbazing. Nog voor we Melisande op de vastgestelde dag verlieten, verraste ze ons met de mededeling dat Gunther eigenlijk een gebrevetteerd piloot was. Gezien zijn houten been mocht hij niet meer vliegen.

Onze verschijning in Rangsdorf verraste niemand omdat Gunther het hele huwelijksgezelschap had ingelicht over “twee bevriende, maar vreemde arbeiders” die hij had uitgenodigd. De verrassing was echter voor ons. De bewuste Lorette Weinfeld was het verjongde evenbeeld van Melisande. Zelfs het gitzwarte haar ontbrak haar niet en haar lichtbruine rimpelloze gelaat was alleen het mooie eindpunt van een lichaam, dat aan de slankheid van een gazelle herinnerde. Ik kreeg er een warm gevoel bij.

Het huwelijk van de boerendochter was er eentje zoals ik er wel eens had gezien in mijn eigen dorp. Een kleine groep mensen allemaal uitgedost in hun zondagse kledij en vooropgegaan door het huwelijkspaar en een harmonicaspeler. Na de gebruikelijke formaliteiten in een onooglijk gemeentehuis en de mis in de kerk, trok de stoet door de belangrijkste straat naar het hotelletje van Gunther. De bruid zag eruit alsof ze weldra een kalf zou baren, terwijl de bruidegom ernaast liep met een gezicht alsof hij teveel tomatensoep naar binnen had gezwolgen. Zelfs zijn ogen hadden een tomatenkleur. De kers op de taart kwam er bij Gunther, want het feestmaal dat hij had uitgedokterd, werd ingezet met een dikke vette tomatensoep. Verder moest er blijkbaar een geslacht varkentje aan te pas gekomen zijn.

Ook nu weer zou Gunther me verbazen. We hadden amper de helft van de feestmaaltijd naar binnen gewerkt, toen het gezelschap werd opgeschrikt door het vooralarm. Als een vader raadde hij iedereen aan om naar zijn kelder te gaan. Ik stond naast hem in die kelder op het ogenblik dat we de eerste bommen hoorden ontploffen. Ze waren niet voor ons bestemd. Toch riep Gunther: 'Mijn ramen!' Hij vreesde inderdaad voor de vensters van zijn hotelletje. Samen met hem liep ik naar boven om alle ramen open te zetten. 'Voor de luchtdruk,' zei Gunther.

Ondertussen had de Ket in de kelder een gesprekje met Lorette Weinfeld en hij vertelde me achteraf dat het dametje al wel een en ander had meegemaakt. Zijzelf was geboren in Brussel, maar had gestudeerd in het Zwitserse Bern waar ze haar echtgenoot had leren kennen. Ze trouwden nog voor de oorlog uitbrak en vestigden zich in Berlijn. ‘Meer wou ze niet kwijt,’ zei de Ket.

Meer hoefden we ook niet te weten, want tijdens het gesprek met Lorette en Gunther in een aparte kamer, zouden we voldoende vernemen om er een paar nachten van wakker te liggen. Roosevelt wilde zoveel mogelijk wetenschappers uit Peenemünde weghalen en naar Los Alamos overbrengen. Hij had er echter niet bijgezegd op welke wijze dat moest gebeuren. Dat moest Lorette maar oplossen, wat ze uiteraard niet alleen kon. En dan kwam het. De wetenschappers die in Berlijn zouden aankomen moesten door ons worden opgevangen en naar Rangsdorf geleid worden, van waaruit ze naar Spanje zouden vliegen. Het hield in dat het vliegveldje in gebruik zou worden genomen.

Voor de Ket leek het geen probleem. Integendeel. Hij brandde van ongeduld om er werk van te maken. Waarom ik er langer over nadacht, wist ik niet, maar ik zag niet onmiddellijk waarom ik mijn leven op het spel zou zetten voor iets dat nu al voorspelbaar was. Met of zonder die bom kon Duitsland die oorlog niet meer winnen. Dat die bom de oorlog zou verkorten was een mogelijkheid, maar geen zekerheid. Het was echter een zekerheid dat wij een groot risico zouden lopen om ontdekt te worden en dat dan onze kop er afging. Het viel me erg moeilijk om me met deze gedachte te verzoenen.

Anderzijds zou het verkorten van de oorlog vele slachtoffers sparen, maar daar waar de fantastische bom zou vallen zouden de onschuldige slachtoffers evenmin te tellen zijn. Toegegeven dat het oorlog was en dat er aan beide kanten een tol zou worden geëist. Was het dan niet beter om zich buitenspel te zetten?

Het was alweer gerekend buiten Gunther. Hoe hij aan het verhaal was gekomen, vertelde hij niet, maar hij vernam dat de nazi's met de Joden afrekenden op de meest gruwelijke manier. Ze werden gewoon vergast met honderden tegelijk in Auschwitz en nog andere kampen. Met deze mededeling trof hij mij tot in het diepste van mijn hart. Als het strookte met de waarheid vreesde ik het ergste voor Sonja en haar familie. Ik zou het meisje dat in mijn hart de grootste plaats innam nooit meer zien.

Voor mij was dit een argument om de Duitsers en hun oorlog nog meer te haten en in te gaan op het voorstel van Lorette Weinfeld.

Daarbij kwam nog het feit dat de Ket besloten had om Postambt 77 de rug toe te keren en nooit meer naar het kamp te gaan. Hij beweerde liever zijn kop te riskeren met de atoombom dan met de sigaretten. Daar kon ik niets tegen inbrengen, maar het betekende wel dat mijn sigarettenhandeltje de pot op ging.

'Wat kunnen ons die sigaretten schelen wanneer we elke week driehonderd mark binnenrijven,' riep de Ket.

Ofwel droomde hij ofwel was hij gek geworden, maar toen ik opmerkte vanwaar die driehonderd mark moesten komen, kreeg ik als antwoord teveel naar Lorette te hebben gekeken en te weinig geluisterd. Zij had ons verzekerd dat Londen het zou betalen. Met dit argument en de mogelijkheid dat ik Sonja nooit zou terugzien, voelde ik me in staat om die atoombom desnoods zélf te maken. Driehonderd mark was een rijkelijk bedrag. Ik ging bijna wensen dat die oorlog nog wat mocht duren. Slechts twee dagen later stopte Melisande ons elk driehonderd mark in de handen. Vanwaar dat geld was gekomen, raakte mijn kouwe kleren niet. Deze keer zaten we voorgoed in de boot. Vanuit Peenemünde seinde Lorette dat er geregeld een wetenschapper naar Berlijn zou komen onder het voorwendsel dat hij zijn familie kwam bezoeken. Wij zouden hem opvangen en onder onze bescherming naar Rangsdorf leiden, waar hij onder de hoede bleef van Gunther. Van daaruit zou hij naar Bern worden gevlogen, waar hij zou worden opgevangen door de Zwitserse weerstand, die er voor zou zorgen dat hij naar Spanje werd overgevlogen en verder naar New York. Het leek wel een film, dacht ik. Onze bijdrage leek me ook niet zo gevaarlijk. De aanhoudende bombardementen hadden er geleidelijk voor gezorgd dat de Gestapo wat minder aanwezig was. Niets was eigenlijk nog controleerbaar. Het enige waarover we ons zorgen moesten maken was onze leeftijd. Ofschoon het niet op ons gezicht geschreven stond dat we geen Duitsers waren, zagen we er te jeugdig uit om niet aan het front te zijn.

Het was gerekend buiten Melisande. Zij was vooruitziend geweest en bezorgde ons een papier, dat ons toeliet om ongehinderd ons werk te doen voor een bijzondere afdeling van de Sicherheitsdienst.

***

Eigenlijk beseften we niet echt in welk spinnenweb we waren terechtgekomen. De Ket vond het vooral een verhaal dat hij later met trots aan zijn kinderen zou kunnen vertellen. Ik vroeg me ondanks alles af hoe ik dit zou overleven. We wisten tenslotte niet wat ons te wachten stond.

Van Melisande vernamen we dat we twee dagen later onze eerste wetenschapper zouden ophalen in de Kochstrasse, een zijstraat van de Friedrichstrasse. Melisande voegde er nog aan toe dat het om een vrouw ging. Kom zeg, een vrouwelijke wetenschapper.

Nu begrepen we beter het waarom van onze rol als bodyguard. Vrouwen konden dan misschien een hulp zijn bij het vervaardigen van een atoombom, maar tegen de knuppel van een gebeurlijke overvaller waren ze niet bestand.

Die dag rolden twee jonge kerels een avontuur in waarvan ze niet wisten hoe het zou eindigen. Dit was een oorlog in een oorlog, misschien wel het begin van een epos. We bereikten de Kochstrasse toen het lichtjes begon te sneeuwen. In een mum van tijd zouden de Berlijnse puinhopen omgetoverd worden tot kleine ijsbergen. We hoefden niet eens aan te bellen bij het huis dat ons werd aangegeven. In de deur verscheen een nog jonge vrouw, die eruit zag als het prototype van de Duitse freule met lichte neiging tot corpulentie. Ze kon net geen veertig zijn, met blonde haren en een roze huid.

'Ik ben Hildegarde,' glimlachte ze.

Op mijn vraag hoe ze wist dat wij het waren die haar zouden begeleiden, antwoordde ze steeds glimlachend dat ze een precieze beschrijving had gekregen.

'Vooral die wittekop,' lachte ze nu, de Ket aanduidend. Ze hoopte Kerstmis te kunnen vieren in Amerika.

In het station Friedrichstrasse stapten we de S-bahn op naar Rangsdorf. Het viel ons op dat we er meer Hitlerjugend zagen dan mannen van de Gestapo. Die kon men er zo uithalen, alsof het dragen van een leren jas hen speciaal werd opgelegd om op te vallen en angst te zaaien. Zelfs voor de meest doordrongen nazi was het zien van zo'n Gestapo-vent een verschrikking.

In het treinstel dat ons naar Rangsdorf zou brengen vonden we gelukkig nog drie plaatsen naast elkaar. We lieten Hildegarde tussen ons plaatsnemen. We waren nog maar amper gezeten toen daar een jeugdig kereltje in het lichtbruine uniform van de Hitlerjugend vlak voor ons kwam zitten. Dat snoerde de Ket en mij al onmiddellijk de mond. Niet zo voor Hildegarde echter. Het vuur ontbrandde al toen ze stil opmerkte ons nog zo jong te vinden voor het werk dat ons werd opgedragen.

'Waarschijnlijk omdat ouderen niet zo dom zijn om het te aanvaarden,' fluisterde ik.

'Ik ben nooit in Rangsdorf geweest,' zei Hildegarde.

Nog voor ze meer kon zeggen merkte de Ket op dat er een groot meer was, maar dat het voor de rest een boerendorp was.

Dat moest in de oren van de knaap die voor ons zat als een zware belediging hebben geklonken, want hij riep plots uit dat dat niet waar was.

‘Wat is er niet waar, jongen?’ wilde Hildegarde weten.

‘Rangsdorf is geen boerendorp! Ik woon er!’ riep het kereltje. Hij stond ineens op en verdween, naar een andere plaats zoekend.

Na een tijdje viel het me op dat Hildegarde haar mond niet meer open deed. Een ogenblik luisterde ik naar het geroezemoes van de passagiers. Dan keek ik door het licht bedampte raam naar de besneeuwde velden die voorbijgleden. Ineens voelde ik het hoofd van Hildegarde op mijn schouder. Was ze in slaap gevallen? Ik probeerde haar zacht weg te duwen, maar ze viel met haar volle lichaam op mijn knieën. De Ket keek op, maar ik schrok hevig toen ik haar hoofd opnam en naar haar open ogen keek. Er was geen twijfel mogelijk, Hildegarde was dood.

Het was alsof we beiden van de hand Gods waren geslagen. Ik begreep onmiddellijk dat er iets gebeurd was waarvoor wij verantwoordelijk konden worden gesteld. Tot nog toe bleek niemand iets te hebben gemerkt. Ik sloot de ogen van Hildegarde en trok haar wat recht. Dan deed ik de Ket teken dat we beter de plaat poetsten. We stonden op en alsof we gewoon naar het toilet gingen, begaven we ons naar een andere wagon tot de trein in een eerstvolgend station stilstond. Samen met nog enkele andere reizigers verlieten we het treinstel en liepen we naar de uitgang. Een ogenblik stonden we hulpeloos in de sneeuw. We beseften dat we aan een eerste avontuur waren ontsnapt en vroegen ons af of die knaap van de Hitlerjugend er iets mee had te maken. Langzaam drong het tot ons door dat Hildegarde werd vermoord.

We zaten alweer in de S-bahn op weg naar Melisande toen we ons allerlei vragen stelden, waarop we het antwoord schuldig bleven. Hoe was de moord op Hildegarde kunnen gebeuren? Of die knaap van de Hitlerjugend er iets mee te maken had, was twijfelachtig. Er werd ook niet geschoten. Misschien wél met een vergiftigd pijltje. Dat kan alleen maar in de film, dacht ik.

'Dit is oorlog,' zei de Ket.

Ook Melisande vond het de enige uitleg voor de dood van Hildegarde. Ze wees er tevens op dat we onze taak niet mochten onderschatten. Dat deed ik in geen geval. Integendeel, de volgende dagen bleef het voorval met Hildegarde me achtervolgen. Misschien had ik vroeger te veel films gezien, maar uiteindelijk vond ik de manier waarop de Duitse wetenschappers vanuit Peenemünde naar Amerika moesten worden geloodst, volledig idioot. Dit moest onbetwistbaar efficiënter kunnen. Dit plan kon alleen maar bedacht zijn door een naïeve Amerikaan.

Wanneer ik mijn bedenkingen aan Melisande toevertrouwde, keek ze me aan alsof ik de Everest was opgeklommen. Toen ik in haar ogen weer op de grond was neergedaald, kon ze alleen maar toegeven dat ik gelijk had. Vooral toen we in de Völkischer Beobachter een berichtje aantroffen over het overlijden van Hildegarde in een wagon van de S-bahn.

Welke toetsen Melisande op haar helse machines in haar kelder allemaal bespeelde weet ik niet, maar ze moesten zich in Londen allerlei vragen hebben gesteld na het gebeuren met Hildegarde. Was dit toeval of was er een lek ontstaan over Peenemünde versus Los Alamos? Melisande had ook contact opgenomen met Gunther en met Lorette Weinfeld. Beiden hadden me gelijk gegeven, zei ze. Maar ze wilden ook weten of ze er misschien iets bij geleerd had. Die vraag kwam me goed uit, want al die tijd trachtte ik een betere oplossing te vinden. Die Duitse wetenschappers moesten hoe dan ook naar Amerika. Opeens dacht ik aan dat vliegveldje in Rangsdorf. Het leek me een geschenk van God.

Melisande keek me vol bewondering aan toen ik haar voorstelde om in Londen te informeren of ze dat vliegveld in Rangsdorf in kaart hadden. Toen bleek dat ze Berlijn tot in het kleinste detail in kaart hadden, Rangsdorf incluis, stelde ik een plan voor dat zelfs de Ket deed opkijken.

Geregeld hingen er dag en nacht geallieerde bombardementsvliegtuigen boven Berlijn. Tientallen jagers vergezelden hen. Waarom kon er dan niet eentje landen op het bewuste vliegveld in Rangsdorf, om de aldaar aangekomen wetenschappers op te pikken en rechtstreeks over te vliegen naar Engeland? De hele operatie mocht alleen 's nachts gebeuren. Het neerstrijken en opstijgen van het betrokken vliegtuig zou door het geluid van de luchtafweer ongemerkt kunnen gebeuren en zonder dat het geronk van de motoren de aandacht zou trekken.

'Alleen met het verschil dat het vliegtuig het vliegveld niet zou kunnen zien,' luidde het antwoord. En daar kwamen wij en Gunther er opnieuw aan te pas. We zouden ervoor zorgen dat de piloot het vliegveld wél zou kunnen zien op het geschikte moment. Ondanks nog een paar opmerkingen in verband met het vliegtuig dat moest kunnen landen op een korte landingsbaan en het aantal wetenschappers die zich in Rangsdorf moesten bevinden, leek het alsof ik het ei van Columbus had ontdekt. Zelfs Lorette Weinfeld was in de wolken.

In Londen kon er geen sprake zijn over nog langer te wachten met de uitvoering van het plan. Er moest onmiddellijk werk worden gemaakt met het in orde brengen van het vliegveld. De overwoekering diende opgeruimd en de verlichting van de landingsbaan moest in orde gebracht worden.

***

Het was Kerstmis. De boeren in Rangsdorf hadden een varken geslacht en Gunther trakteerde ons op witte en zwarte pensen met appelspijs. Een waar feestmaal wie het mij vraagt. Zelfs Lorette Weinfeld was van de partij. Als weduwe van een Duits officier kon ze zich vrij bewegen. Haar aanwezigheid bij Gunther betekende tevens dat het niet zomaar een onderonsje zou zijn. Er zouden praktische zaken besproken worden in verband met Peenemünde.

Niettemin werden de witte en zwarte pensen verorberd in een gezellige sfeer. Gunther had er bovendien voor gezorgd dat er een bijpassend lekker wijntje op tafel kwam.

Toen Peenemünde ter sprake kwam, wees niemand op het gevaar dat eraan verbonden was. Vooral Lorette zou tegenover de wetenschappers en tijdens haar eerste contact ermee, zeer diplomatisch te werk dienen te gaan. Het zou immers volstaan dat ze te doen kreeg met een overtuigde nazi, om de hele opzet aan de galg te zien eindigen.

Toen het zover was, diende Lorette gelukkig niet zoveel moeite te doen. Die wetenschappers wisten nu al dat ze aan een verloren zaak werkten. Los Alamos was ondertussen uitgegroeid tot een kleine stad in de woestijn van New Mexico. De wetenschappers vonden er een comfortabel onderkomen, waar ze ook alle mogelijke winkels en handelszaken aantroffen. Eén wettelijke regel ging ermee gepaard: men moest er een goede reden opgeven om het stadje tijdelijk te verlaten. Anderzijds zou zelfs een vlieg er niet in slagen de bewakingsdiensten te verrassen om erin te komen. Los Alamos was als een sterk bewaakte burcht. Maar wie erin opgenomen werd, zou ook rijkelijk beloond worden. De atoombom moest het eindresultaat worden van Los Alamos.

Dat was ongeveer alles waarmee Lorette kon uitpakken tegenover de wetenschappers in Peenemünde. Ik zou er alles voor overhebben om zo'n wetenschapper te zijn. Niet omwille van het geld, maar wél omwille van de vrijheid die ze tenslotte toch in Amerika zouden vinden. Voor het eerst dacht ik er aan om zélf de plaat te poetsen. Die oorlog hing me de keel uit en ware er niet de vragen die ik me stelde over Sonja, dan zou mijn besluit vlug genomen zijn.

'En wat met die driehonderd mark?' wierp de Ket op toen ik hem hierover polste. Dat argument had me al eerder tot rede gebracht. Ook nu weer. De oorlog was tenslotte niet voorbij. Hier niet en ook thuis niet. Daar zou me echter niemand driehonderd mark toestoppen.

Gunther pakte weer met wat nieuws uit. Hij had het bezoek gekregen van ene kolonel von Stauffenberg, die het vliegveldje wilde gebruiken voor een geheime opdracht. We moesten hem voor zijn en de landingsbaan zo vlug mogelijk bruikbaar maken. Het leek ons geen probleem.

Tijdens de kerstweek kuierden we wat rond in het nagenoeg volledig verwoeste Berlijn. Hoe konden mensen zichzelf zoiets aandoen? We bereikten Alexanderplatz omstreeks het middaguur. Veel beweging was er niet, tenzij een rij mannen voor de deur van een "huis van plezier". Allemaal vreemdelingen die zich wilden laten strelen door een vrouw. Dat huis was berucht in Berlijn, maar werd nu uitsluitend bezocht door vreemde arbeiders. Een twaalftal jonge vrouwen, elk met een nummer, zorgden voor hun welzijn, mits "deftige" betaling. De klant mocht een nummer kiezen en na amper een kwartier stond hij weer op straat. Het was tenslotte een "hoerenkot" van een bijzonder soort.

Alexanderplatz was ook gereputeerd voor zijn gevangenis, waar je inkomt en nooit meer levend uitkomt. We stonden in de nabijheid van de gevangenispoort toen het vooralarm loeide. In een bunker schuilen konden we niet. Een paar minuten later weerklonk het alarm en kwam de luchtafweer op gang. Niet zo heel ver van ons zagen we honderden bombardementsvliegtuigen in de lucht. Ze hingen boven Siemensstad en zouden de fabrieken en de woonhuizen eromheen met de grond gelijkmaken. Ondertussen werd er hoog in de lucht gevochten tussen Duitse en Britse jagers.

De Ket en ik telden meer dan honderd vliegtuigen

die werden afgeschoten en brandend naar beneden vielen. Dit was het grootste luchtgevecht dat we tot nog toe hadden gezien. Indien de Berlijners voordien af en toe nog konden glimlachen, verscheen er nu een grijns op hun gelaat.

Na anderhalf uur werd het alarm afgeblazen en bleef er alleen een enorme rookwolk aan de hemel drijven. Het was wat er overbleef van Siemensstad, met honderden slachtoffers.

In het pensionnetje van Melisande, die deze naam eigenlijk te danken had aan haar echtgenoot die een groot operaliefhebber was, werden we opgewacht voor een kerstmaal helemaal klaargemaakt door onze unieke gastvrouw. Ze bleek trouwens ook een uitstekende kokkin te zijn. Zelfs haar zelfgemaakte honger opwekkende hapjes getuigden van veel inventiviteit. Wat er op volgde, was een feest: een varkenshaasje met groene asperges en gebakken aardappeltjes. De wijn zou zelfs de dikke Göring hebben doen watertanden. Tijdens het maal vertelde Melisande ons dat Lorette al gestart was met haar werk in Peenemünde.

De volgende dag begaven we ons al vroeg in de ochtend naar Rangsdorf. Het ietwat gure weer zou ons niet beletten de besneeuwde landingsbaan vrij te maken. Gunther had al gezorgd voor het aantal lampen die we aan weerszijden van de baan zouden plaatsen. De landingspiste was iets langer dan achthonderd meter en om de tien meter moesten we aan beide kanten van de baan een lamp aanbrengen. Gunther zorgde ook voor de bedrading die naar de bestaande elektriciteitscabine leidde.

We konden ongeveer een halve dag bezig zijn, toen we plots de verrassing van ons leven meemaakten. Stond daar ineens die knaap in het uniform van de Hitlerjugend, met wie we hadden kennisgemaakt bij de moord op Hildegarde in het metrostel. Met beide benen open en de armen gekruist keek hij ons aan.

'Ik herken jullie!' riep hij. 'Wat doen jullie hier?'

Een ogenblik wist geen van ons beiden een woord uit te brengen. Bijna stotterend boog de Ket zich naar de jongen toe.

'Dat zie je toch. Wij maken de baan schoon.'

De nieuwsgierigheid speelde mij parten.

'Heb jij die dame vermoord op de S-bahn?' vroeg ik.

'Beginnen jullie nu ook! Ik werd gedurende de ganse dag verhoord bij de politie, terwijl ik alleen naar het toilet was gegaan,' bracht de knaap uit.

We gaapten hem aan alsof hij het orakel had uitgesproken. De dood van Hildegarde werd er nog geheimzinniger door. Als hij er voor niets tussen zat, wat kon dan de oorzaak zijn van haar dood? In de Beobachter werd over de reden niets gezegd.

'Waarom willen jullie die baan schoonmaken? Dit vliegveld is al jaren buiten gebruik,' wilde de jongen weten.

'Hoe heet jij?' vroeg ik.

'Wolfgang! Wolfgang Dietrich!'

'Zoals Marlène,' lachte ik.

'Zij is mijn tante!' riep Wolfgang.

We keken hem verbaasd aan. De Duitse filmster die Hitler de rug had toegekeerd terwijl hij voor haar een veld vol goud uitspreidde, zou de tante zijn van deze knaap in het uniform van de Hitlerjugend. Zou Marlène Dietrich dat wel weten... en goedkeuren? Zij die zich zelfs tot Amerikaanse liet naturaliseren, ofschoon ze nog steeds een koffer in Berlijn had staan, zoals ze zong.

'En jij draagt een uniform...' durfde ik opmerken.

'Ik was al bij de Hitlerjugend toen zij nog in Berlijn optrad! We geloofden toen allemaal in die aap!' klonk het.

We durfden niet te geloven wat hij uitkraamde. Ik hoorde mezelf wat stuntelig vragen wie hij bedoelde.

'De Führer!' riep hij kordaat.

'Waarom blijf je dan dat uniform dragen?' vroeg de Ket.

'Misschien omdat ik het einde van die oorlog wil halen. Dat uniform uitdoen staat gelijk met zelfmoord.'

Dat die Wolfgang ons dit zo spontaan vertelde, vervulde ons met wantrouwen. Misschien wilde hij ons op die manier uitlokken tot verklaringen, die ons noodlottig zouden worden. De vrees voor de Hitlerjugend in Berlijn was algemeen en ook wij bleven op onze hoede. Misschien zei die jongen echt wat hij meende, maar toch.

'Ben je niet bang dat wij je zouden verraden, Wolfgang?'

'Jullie zijn vreemden! Waarom zouden jullie mij verraden? Ik wil jullie helpen!' En dat meende hij. Toen wij de volgende morgen op de landingsbaan verschenen, stond Wolfgang ons op te wachten met een vijftal van zijn kameraden, allemaal in het uniform van de Hitlerjugend. We hadden al een en ander meegemaakt, maar dit zou geen mens geloven. We wilden een landingsbaan klaarmaken om er een Brits vliegtuig te laten landen, om op de koop toe enkele Duitse wetenschappers naar Amerika te vliegen, waar ze een bom zouden klaarstomen om alle Moffen en Jappen op te blazen. Dit was de beste mop aller tijden.

Nog voor de middag was de piste drooggemaakt. De vriendjes van Wolfgang hadden zich fel in het zweet gewerkt. Wolfgang stond er goedkeurend naar te kijken alsof hij het toezicht had. Wanneer we het aan Gunther vertelden, lachte die zich krom. 'Als die geschiedenis later in de kranten zou komen, zou de wereld zich een breuk lachen,' riep Gunther.

Die avond voerde Melisande een vreugdedans uit. Ze vond dit verhaal zo geweldig dat ze ging geloven dat het einde van de oorlog nu zeer nabij was. Dat Melisande zich vergiste, zou blijken, maar ook onze belevenis met Wolfgang was niet voorbij. Toen we ons de volgende morgen samen met Gunther naar het vliegveld begaven met de bedrading, om de piste uit te rusten voor de belichting, waren we amper een halfuur bezig toen Wolfgang alweer voor onze neus stond.

'Wat doen jullie?' vroeg hij lachend.

We keken hem met ons drieën aan alsof het de verschijning was van de heilige maagd. Wat moesten we dat kereltje op de mouw spelden? Het was Gunther die het eerst uit zijn schelp kwam.

'Ik ken jou toch, Wolfgang! Ben jij niet... ?'

Wolfgang vertrok geen spier.

'Ik weet niet of jij mij kent, maar ik kén jou! Jij bent de baas van dat hotelletje aan het meer en jij luistert naar de Engelse radio!'

Gunther was van de hand Gods geslagen. Dat snotjong slingerde hem zomaar in het gezicht dat hij een anglofiel was. En als die knaap daar zo zeker van was, waarom had hij hem dan niet aangegeven?

'Vermits jij dat wist, waarom heb je mij dan niet verraden, Wolfgang?'

'Dan zou ik mezelf verraden! Ik haat de nazi's!'

'En dat zeg je zomaar tegen mij?'

'Jij gaat me ook niet verraden,' mompelde Wolfgang. 'Zeg me liever wat jullie zinnens zijn te doen met dat vliegveld? Misschien kan ik jullie helpen!'

Hoe langer dat over en weer gepraat duurde, hoe meer ik me in een Amerikaanse film waande, waarin een loopje werd genomen met de werkelijkheid. Maar dit was echt. En Gunther had gelijk. Indien dit ooit in de kranten kwam, zouden de Amerikanen erop duiken om er een film over te maken. Ik wou er nog een staartje aan breien.

'Wolfgang,' zei ik lachend. 'Wat zou je doen als ik je zou vertellen dat we de piste hier willen klaarmaken om ze 's nachts te belichten, zodat jouw tante hier kan landen met de bedoeling om Hitler te vermoorden?'

Wolfgang Dietrich slaakte een indianenkreet.

'Wow! Dan zou jij hier later een standbeeld krijgen!'

En daar stonden we nu. Drie idioten die de Duitsers een hak wilden zetten en die de hulp kregen aangeboden van de Hitlerjugend. Die knaap was waarachtig bezeten door een killersinstinct. Ik begon me af te vragen of hij niet liever zélf Hitler de nek zou omwringen. Hij begon steeds meer op Marlène te lijken. Altijd die uitdagende blik. 'Wil je me niet echt vertellen wat hier aan de gang is?' hoorde ik Wolfgang vragen. De toon waarop hij dat vroeg, klonk bijna smekend. Ik keek naar Gunther, niet wetend welk antwoord we hem konden geven. Gunther legde zijn hand op de schouder van Wolfgang en keek hem ernstig aan.

'Luister, jongen. Die oorlog die niemand van ons heeft gewild, heeft mij al een been gekost. Ik heb altijd wat willen terugnemen en niet alleen door naar de Engelse radio te luisteren. Jij hebt me nooit verraden en nu wil je ons helpen. Tot hoever wil je gaan?'

Ineens zagen wij een licht branden in de ogen van Wolfgang. Zijn gezicht kreeg een vreemde kleur.

'Die smeerlap heeft beslag gelegd op mijn jeugdjaren en is de moordenaar van mijn vader, die niet alleen een been heeft verloren, maar het leven! Ik wil alles terugnemen wanneer ik die kans krijg!'

'Dan zullen wij je die kans geven,' zei Gunther.

Een ogenblik keek iedereen naar iedereen. Ik onderging het moment als een plechtig gebeuren dat de geschiedenis zou ingaan. Wat hier plaats had zou misschien een belangrijke rol spelen in het verdere verloop van de oorlog. Gunther zou moeten uitmaken wat precies de hulp zou zijn, die hij van Wolfgang kon verwachten. Nu was het zaak die piste landingsklaar te maken in de nacht. Vanuit een kleine seincabine werden de dunne elektriciteitskabels naar het uiteinde van de baan getrokken, waarna we ze met aarde bedekten.

Ondertussen was het beginnen duisteren zodat we niet meer konden beginnen met het plaatsen van de lampen. Dat werd naar de volgende dag verwezen. We waren blij met het werk dat we hadden verricht en Gunther nodigde ons uit en ook Wolfgang, voor een etentje in zijn hotelletje. Tot vier keer toe waren we tijdens al die tijd aan een luchtaanval ontsnapt, alsof ze Rangsdorf waren vergeten.

Het dorp en ons vliegveldje bleven inderdaad gespaard van de bommen, zodat we de volgende dag ons werk met de lampen konden verderzetten. Vreemd toch dat we nooit een mens in de nabijheid van dat vliegveld zagen. Dat was ook zo aan het meer. Wolfgang wist ons te vertellen dat er in het dorp nagenoeg geen mannen meer waren. Alleen enkele ouderen en gebrekkigen. Bovendien liet de winter zich gevoelen en kwam niemand buiten indien het niet nodig was. En zeker niet tot aan het vliegveld.

'Maar ik wil nu graag weten wat er op dat vliegveld staat te gebeuren?' opperde de kleine Wolfgang.

'Hier zal met onze hulp een Brits vliegtuig landen om één of twee mensen op te pikken, die zich in Amerika nuttig kunnen maken om het einde van de oorlog voor te bereiden,' zei ik.

Wolfgang keek wat ongelovig van de ene naar de andere.

'En dat kan alleen 's nachts?'

'Inderdaad!'

Nog die avond vernamen we van Melisande dat Lorette in Peenemünde twee belangrijke wetenschappers had kunnen strikken en dat ze zich op oudejaarsavond in Rangsdorf zouden bevinden, klaar om te vertrekken. Er werd alleen gewacht op een bericht uit Londen met de melding wanneer dit zou gebeuren.

Van oudejaarsavond hadden we ons wel wat anders

voorgesteld. Weliswaar was het oorlog en hoefden we ons niet te verwachten aan toeters en bellen, met een rijkgevuld eetmaal. Niemand in Berlijn hoopte daarop. Het was stil geworden in de Duitse hoofdstad, uitgezonderd het gedonder bij de luchtaanvallen. Ik herinnerde me de vooroorlogse eindejaarsfeesten in Brussel. De stad dirkte zich op als een jongedame en de muziek kwam als uit de hemel gezinderd. Thuis bij mij was men niet rijk, maar op oudejaarsavond was het steeds de gewoonte dat er een lekker geurig klaargemaakt konijntje op tafel kwam. Zonder dat beestje om ons gehemelte te aaien was het geen nieuwjaar geweest.

Vanzelfsprekend werd er gewacht op het bericht uit Londen, maar het zag ernaar uit alsof Berlijn het zonder bommen zou stellen op oudejaarsavond. Blijkbaar was er bij de oorlogvoerende machten nog iets van de beschaving overgebleven. Op kerstnacht was het geloei van de sirenes ook achterwege gebleven.

Middernacht was al een paar uren voorbijgegleden toen we dan toch werden verrast door het vooralarm. Samen met Melisande zaten we in de kelder, waar ons een gerechtje werd aangeboden. Vrij vlug na het vooralarm klonk het echte alarm en konden we al het geronk horen van de boven Berlijn hangende vliegtuigen. Het jaar 1944 zou zich feestelijk inzetten met een langdurig bombardement, dat alweer een groot aantal slachtoffers zou achterlaten.

De dag daarop verzocht Melisande ons om toch maar naar Rangsdorf te gaan en daar de bevelen af te wachten. We zouden de verlichting van de landingsbaan nog eens kunnen testen. Onze aankomst in Rangsdorf hield alvast in dat we er konden kennismaken met twee wetenschappers, die van Peenemünde zonder problemen naar hier waren gekomen. Eén van beiden was alweer een vrouw. Ze kon amper veertig zijn en ofschoon ze niet echt lelijk was, bleek ze toch aan wat renovatie toe. Het was haar mond, dacht ik. Alsof iemand er een ferme klap op had gegeven, zodat je om haar te kussen eerst voorbij haar kin en haar neus moest.

Hun namen klonken gewoon: professor Erich Branstetter en Eva Paulus. Gunther stelde ons het tweetal voor alsof het om de redders van de wereld ging. De verrassing was echter dat hij voor hen een lekker geurend middagmaal had klaargemaakt en dat wij mee mochten aanzitten. Zoiets was nooit te versmaden.

Tijdens het eetmaal werd er over alles en nog wat gesproken, behalve over de oorlog. Alsof die niet bestond. Over Eva Paulus vernamen we dat ze afkomstig was uit Leipzig en dat ze de pest had aan vliegen. Ze had nog maar een paar maal in een vliegtuig gezeten en dat was haar geweldig tegengevallen. Alle medereizigers werden grondig door elkaar geschud. 'Dat heeft me doen besluiten om nooit meer in een vliegtuig te stappen, tenzij het niet anders kan,' zei ze.

Professor Branstetter sprak verder in lovende woorden over Eva. Ik vroeg me stil af of hij misschien die kin en die neus was voorbijgestoken. 'De Amerikanen zullen blij zijn met haar,' merkte de professor op. Hiermee werd voor het eerst gezinspeeld op de vlucht naar de States. Misschien was het wat misplaatst, maar mijn nieuwsgierigheid haalde het.

'Professor... kunt u ons mogelijk vertellen waarom de Amerikanen zo happig zijn op de Duitse wetenschappers?'

Professor Branstetter keek mij sprakeloos aan, maar Eva Paulus leek wel gehaast om een antwoord te geven.

'Dat kan ik,' glimlachte ze en plots vond ik haar wat gezelliger om aan te kijken. Alsof haar mond door haar gebit werd aangedreven om haar kin en haar neus naar achter te duwen. Haar mond leek ineens niet meer dat grote gat dat ik aanvankelijk had gezien.

'De Duitse wetenschappers liggen een eind voor op de Amerikanen,' zei ze. 'In 1938 wisten wij al van de splitsing der atomen en hebben onze mensen van het Wilhem-Instituut pogingen gedaan om Hitler alles aan het verstand te brengen over de mogelijkheden van die ontdekking. Hij begreep er geen bal van en wuifde het weg.' 'Dat is sterk!' riep de Ket, alsof hij er alles van begreep. Hij reageerde echter alleen op de foute weigering van Hitler op een ontdekking, waarvoor de Amerikanen nu de rode loper uitleggen. Een ogenblik dacht ik wat er zou zijn gebeurd indien Hitler niet zo naïef was geweest.

Bij gebrek aan koffie waren we al aan de thee begonnen, toen ineens de kleine Wolfgang kwam binnenvallen. Eva Paulus en professor Branstetter schrokken zich een aap bij het zien van Wolfgang in uniform. Gunther liet er geen tijd over gaan.

'Hij is één van ons!' riep hij. 'Het is Wolfgang Dietrich! Het neefje van de Blauwe Engel!'

'Bedoel je Marlène Dietrich?' verbaasde de professor zich.

'Mijn vader is gaan sterven aan het oostfront, terwijl zijn zuster als een heldin naast het Vrijheidsbeeld staat!' riep Wolfgang.

'Dat is niet de taal van een jongen van jouw leeftijd,' zei Eva Paulus.

Wolfgang ging wat dichter bij haar staan.

'Het is ook niet het leven van een jongen van mijn leeftijd,' zei hij stil. 'Ik zou liever met Sneeuwwitje mijn tijd doorbrengen dan met Adolf Hitler, ook al geloofden wij dat hij de prins op de witte schimmel was.'

Gunther werd wat zenuwachtig.

'Niemand hier heeft ooit geloofd dat Hitler de prins op de witte schimmel was,' opperde hij. 'Laat ons dat voor waarheid nemen.'

Wolfgang werd in ons kleine gezelschap opgenomen en bleef nog wat hameren op het feit dat hij gelijk welke opdracht zou aanvaarden. Gunther benadrukte dat de bevelen uit Londen kwamen en dat we zolang beter niet naar buiten gingen. Het hotelletje was gesloten en het moest beter niet opvallen dat er vreemden onderdak hadden gevonden. Hij kon niet zeggen hoelang dit zou duren.

De professor en Eva Paulus wilden van de Ket en mij vernemen hoe we in dit avontuur waren terechtgekomen.

'Een samenloop van omstandigheden,' zei ik.

Eigenlijk konden wij vaststellen dat deze mensen niet goed wisten waarmee ze bezig waren. De nazi's hadden hen in de oorlog meegesleurd, maar het werkelijke verloop daarvan was hen ontgaan. Ze wisten niets over de Jodenvervolging en hun gevangenschap in de concentratiekampen, noch over de jongeren die in de bezette gebieden werden opgepakt voor de gedwongen arbeidsdienst.

'En wat met de conventie van Genève?' vroeg Eva naïef.

Het gelach mocht niet te luid klinken. Bovendien loeide het vooralarm op dat ogenblik, waarop Gunther opmerkte dat ze Rangsdorf hopelijk niet als doelpunt hadden gekozen.

'Hier valt toch niets te bombarderen,' meende de professor.

'Een verloren bom op de landingsbaan van ons vliegveld zou niet welkom zijn,' liet de Ket zich horen.

Rangsdorf ontsnapte eraan. Weliswaar werd er hevig gebombardeerd, alsof die kerels in hun B-29 niet zouden stoppen zolang er in Berlijn nog twee stenen op elkaar stonden. Hoezeer ik de nazi's ook haatte, ik kon er me moeilijk mee verzoenen dat een stad zoals Berlijn met de grond werd gelijkgemaakt. Onze verkenningen hadden me het gevoel gegeven alsof ik van Berlijn zou kunnen houden, indien er niet die gruwelijke oorlog was. Zonder die hakenkruisen moest Berlijn er heel anders hebben uitgezien.

Vermits er die dag geen nieuwe perspectieven werden aangekondigd, begaven de Ket en ik zich terug naar Melisande, die blij was met onze terugkeer in haar nest. Ik kreeg waarachtig het gevoel alsof ze ons een beetje beschouwde als haar twee zonen. Toch werd ons de dag daarna een wrang gevoel opgedrongen toen we op Potsdamer Platz een kameraad uit Postambt 77 tegen het lijf liepen. Hij vertelde ons dat Coppi, een jongen uit Denderleeuw die we in het kamp van Lichtenrade hadden gekend en die we daarna herhaaldelijk hadden aangetroffen in de ondergrondse van Potsdamer Platz, op een bank in het station was overleden. Coppi had er zich als het ware laten sterven. De confrontatie met de dood van Coppi, met wie ik nochtans niet zoveel contact had, greep me sterk aan. De laatste keer toen ik hem op die bank in het ondergrondse station zag zitten, kwam ik al erg onder de indruk van wat hij zei. 'Deze bank is mijn thuis. Ik wil hier leven en sterven, want het is het enige wat dit leven nog te bieden heeft.'

Die woorden van Coppi zal ik waarschijnlijk nooit meer vergeten, nu hij inderdaad op die bank is gestorven. Moest hij daarvoor naar Berlijn komen? Eigenlijk zouden wij als weggevoerden allemaal dit lot hebben kunnen ondergaan. Maar dit moet het leven zijn. Zij die sterven en zij die bleven, tot we allemaal de tol betalen en in het niets verdwijnen, de put van vergetelheid.

***

Wanneer Melisande het bericht ontving dat een tweemotorig vliegtuig de twee wetenschappers in Rangsdorf zou oppikken in de nacht van 2 januari 1944, werd als het ware beslist over het lot van professor Branstetter en Eva Paulus. Al in de ochtend mochten we van Melisande op een flinke knuffel rekenen, toen we nummer 119 in de Wilhelmstrasse de rug toekeerden. De Ket was verdorie nog zenuwachtiger dan ikzelf, maar toen we in de Berlijnse metro hadden plaatsgenomen en langs het raam het besneeuwde landschap zagen voorbijglijden, leek het avontuur al veel minder gevaarlijk. Er was de jongste dagen niet nog meer sneeuw gevallen en de landingsbaan zou nog droog liggen. Dat was alleszins een pluspunt en het zou het landen veel gemakkelijker maken. Gunther zou zich in de seincabine klaar houden, terwijl de Ket en ik voor de verlichting van de piste zouden zorgen. De kleine Wolfgang zou de omgeving in de gaten houden. Er mochten inderdaad geen pottenkijkers komen opdagen.

In Rangsdorf werden we verwelkomd door het kleine gezelschap, dat er betrekkelijk rustig bijliep. Professor Branstetter en Eva Paulus gedroegen zich alsof ze met vakantie vertrokken naar een of ander zonnig land. Eigenlijk was dit koppel te benijden, ook al wachtte hen een taak die niets te maken had met de zending van een missionaris.

Integendeel, ze zouden een tuig in mekaar steken dat alleen bestemd was om het mensdom te verwoesten.

Daar dacht Eva Paulus helemaal niet aan. Zij hoopte in Amerika de toekomstige echtgenoot te ontmoeten, zoals ze die in haar dromen had gezien. Een bonk van een kerel en eigenaar van een ranch met paarden en nog allerlei dieren. Misschien zouden haar wensen nooit werkelijkheid worden, maar het feit dat de deur naar die mogelijkheid werd geopend, vervulde haar met oneindig veel geluk.

Bij valavond werd alles nog eens nagekeken. Na het avondmaal begaf het gezelschap zich naar het vliegveldje, waar we ons in afwachting van de gebeurtenissen terugtrokken in de seincabine. Alleen Wolfgang begaf zich naar de plek waar niemand voorbij mocht. Bij de minste verschijning van een vreemde in zijn nabijheid zou hij de anderen alarmeren.

In de cabine steeg de spanning. Vooral de professor en Eva konden het trage verloop van de tijd maar moeilijk aan. Bij het kleinste geluid van een vogel of een hond schrokken ze op. Elke minuut duurde een eeuwigheid.

Niet ver meer van middernacht klonk het vooralarm en begaven de Ket en ik zich naar de landingsbaan, waar wij erover zouden waken dat alles met de verlichting vlekkeloos zou verlopen. Bij het eerste geluid van overvliegende toestellen knipte Gunther vanuit de cabine de lichten aan. De piste lag er klaar bij als in volle dag.

Lang duurde het niet of we hoorden het geronk van een vliegtuig naderen. Dat moest het tweemotorig toestel zijn waarop werd gewacht. Het geluid van de motoren klonk anders dan dit van een B-29. Het toestel landde zonder problemen terwijl er ergens bommen ontploften en het afweergeschut probeerde de vijandelijke tuigen in de vangarmen te krijgen. Voor professor Branstetter en Eva Paulus was het verschijnen van de copiloot het sein om hun plaats in te nemen in het vliegtuig. Enkele seconden later steeg het toestel alweer op en verdween het in de duisternis. Gunther had de verlichting van de piste onmiddellijk op "uit" gezet, toen we een schot hoorden. Het kwam uit de richting van Wolfgang. De Ket en ik volgden Gunther naar de plek waar Wolfgang zich bevond. We vonden de knaap op een boomstronk gezeten. Even verder lag het lijk van een man in het uniform van de afweer. Hij had nog een wapen in de hand.

Ook naast Wolfgang vond Gunther het pistool waarmee was geschoten. Het betrof een Luger, een wapen waarmee je zelfs een olifant kon neerleggen. Wolfgang keek ons verdwaasd aan, duidelijk niet helemaal beseffend wat er was gebeurd. Gunther schudde hem licht door elkaar.

'Wolf, heb jij met dit wapen op die man geschoten?'

De stem van Wolfgang klonk wat onzeker.

'Hij had de verlichting op de piste ontdekt en wou mij neerschieten...'

Uit zijn gestamel werd ons duidelijk dat de kleine Wolfgang de hele operatie had gered en meteen ook onszelf.

'Waar haalde jij dat wapen vandaan?' vroeg Gunther.

'Van mijn vader,' zei Wolfgang stil. 'Ik nam het mee voor alle veiligheid.'

Niemand dacht eraan hem daarover een verwijt te maken, nu was gebleken dat het nuttig was geweest. Een man had er weliswaar het leven bij ingeschoten, maar dit was oorlog. Dat was tenminste het argument waarmee wij dachten de daad van Wolf te kunnen goedpraten. Ook Gunther deelde die overtuiging.

'Wat moet er gebeuren met dat lijk?' vroeg de Ket.

Gunther dacht een ogenblik na en zei dan dat we het lijk nog wat verder naar de kant zouden slepen. Daar zou iemand het wel vinden en verder zou er niemand over spreken. Ook dát was oorlog.

Zijn bevelen werden uitgevoerd en Gunther nam de wapens mee. 'We maken ons nu maar beter uit de voeten,' riep hij, terwijl hij de kleine Wolfgang recht trok. Weinig later bevonden we ons in het hotelletje van Gunther. De klok sloeg drie uur. Gunther bood ons een kom hete soep aan.

De nacht verliep verder in volledige rust. Van het eigenlijke bombardement hadden we alleen het gemengde geluid van de vallende bommen en het afweergeschut opgevangen. Onze gedachten gingen nu naar de twee wetenschappers en de vraag of ze in goede omstandigheden waren aangekomen.

Dat bericht zou er slechts komen de daaropvolgende morgen, toen we ons alweer in de Wilhelmstrasse bevonden. Melisande had voor een lekker ontbijt gezorgd toen ze ons kon geruststellen wat betreft de goede aankomst van de professor en Eva in Londen. Het koppel zou nog dezelfde dag vertrekken naar de Verenigde Staten.

Die dag gingen mijn gedachten verder naar Sonja, mijn meisje dat God weet waar zat opgesloten. In Berlijn wist blijkbaar niemand wat er precies met de Joden gebeurde. Het leek me niet mogelijk dat ik Sonja nooit zou terugzien. Ik kon misschien twaalf geweest zijn toen ik haar voor het eerst zag op een zondagnamiddag bij de ingang van een filmzaal in Brussel. Het was alsof het geschreven stond dat dit meisje mijn leven zou delen. Slechts de volgende zondag stonden we daar opnieuw en ik volgde haar naar binnen, waar we naast elkaar gezeten stilzwijgend genoten van "De Sjeik", met Rudolf Valentino. Ondanks onze prille leeftijd groeiden we als het ware naar elkaar toe en het werd een uitgemaakte zaak dat dit nooit zou stoppen. De oorlog besliste er anders over.

Alsof Melisande mijn gedachten geraden had, vroeg ze ons die avond of we al een meisje hadden. Het was de eerste keer dat dit onderwerp ter sprake kwam. Het antwoord van de Ket klonk kort en bondig. 'Toen ik voor het eerst een meisje probeerde te kussen, sloeg ze me een tand uit. Sindsdien heb ik het nooit meer gewaagd.'

Over mijn verhaal met Sonja en het lot van de Joden kon Melisande niet veel méér vertellen dan wat we al wisten. Of ze werkelijk massaal de dood werden ingejaagd was geen zekerheid, ook al had Gunther dat reeds eerder vernomen. Ze gaf ons de raad om ons wat meer te verstrooien en somde de mogelijkheden op in film en theater. Langs haar neus weg voegde ze er nog aan toe dat de "Rezi" één van de bekendste danszalen was in Berlijn.

Het bewuste danslokaal "Rezi" bevond zich in het centrum van de stad, in de nabijheid van de Spree. Het gebouw waarin nog steeds een veertienkoppig orkest ten dans speelde, zou vroeger een schouwburg geweest zijn en werd tot nog toe slechts licht beschadigd door de luchtaanvallen. Aan de rand van de dansvloer stonden tafeltjes waaraan nu bijna uitsluitend jonge vrouwen zaten en hier en daar een paar mannen, die zeker geen Duitsers waren. Onze verschijning in de zaal veroorzaakte wat opschudding en een tsunami van nieuwsgierige blikken. Het ontging de Ket niet.

'Die wijven hier lijken mij zo gulzig aan te staren

dat het minste geile gevoel in mij in rook opgaat,' riep hij.

Wat mij in het bijzonder opviel was het nummer met een telefoon op het tafeltje waaraan we gingen zitten. Alle tafels waren met een nummer en een telefoon uitgerust. We waren nog maar amper gezeten of de telefoon op ons tafeltje begon te rinkelen. De Ket keek alsof hij de klokken van Rome hoorde luiden. Het gerinkel van de telefoon klonk schril uit boven het orkest, dat een langzame wals had ingezet. De muziek paste bij de muzikanten, nagenoeg allemaal mannen met bakkebaarden. De tamelijk gezette dienster die ons het bestelde biertje bracht, deed ons teken om de telefoon af te haken. Ik voldeed wat aarzelend aan haar verzoek en luisterde naar een ietwat hese stem.

'Wisten jullie al dat hier gedanst wordt?'

Even keek ik naar de Ket, die het ineens leuk begon te vinden. Mijn stem klonk wat speels.

'Nee, maar jij gaat het mij vertellen.'

De hoorn lag nog niet neer toen ik aan de overkant van de dansvloer twee meisjes zag opstaan en naar ons toekomen. Zo te zien zagen ze er nog zeer jong uit, tamelijk groot en slank. We keken hen sprakeloos aan en drukten de uitgestoken hand.

'Ik ben Romy,' zei die ene van wie ik de stem herkende van de telefoon. 'En dat is mijn vriendin, Rosita! Mogen we gaan zitten?'

De Ket wist niet wat zeggen en ik ook niet, maar allemaal keken we naar elkaar. Het duurde wat vooraleer we beseften dat we in oorlogstoestand leefden en dat het waarschijnlijk normaal was dat de dames zichzelf uitnodigden.

'Ik ben René en hij is niemand,' lachte de Ket.

Het was de eerste keer dat ik de Ket zijn naam hoorde. Romy richtte zich tot mij en ik keek in haar blauwe ogen.

'Heb jij geen naam?'

'Noem mij maar Jan.'

Beide meisjes wilden vooral weten vanwaar we kwamen en hoe we hier beland waren.

'Opgepakt door jullie landgenoten in België!'

Wanneer ze ook nog wilden weten wat we hier deden, nam ik Romy bij de arm en trok ik haar zacht mee op de dansvloer. Het orkest speelde een nummertje van Rudi Schuricke en ik kwam in de stemming. Romy drukte zich dicht tegen me aan, waardoor mijn gedachten de dingen ver vooruitliepen. Ik was nooit de beste danser geweest van het dorp, maar met deze Romy in mijn armen kreeg ik waarachtig als vleugels. We zweefden over de dansvloer alsof er niets meer rondom ons bestond. Romy was misschien niet de filmster met wie ik de meisjes gewoonlijk vergeleek, maar ze was mooi. Haar blonde lokken vormden een aureool rond haar roze gezichtje, dat straalde. Zou het kunnen dat ik er de oorzaak van was?

Helemaal in de ban van mijn zwoele gedachten drong het geluid van het vooralarm tot mij door en van Romy, die niet zonder ontgoocheling in haar stem zei dat we het best naar de kelder gingen. Ik zag de Ket met Rosita dezelfde richting uitgaan en het orkest stopte op het moment dat het alarm loeide. Die kelder was geen gewone kelder, maar had veel meer weg van een enorme gewelfde zaal, waarin ooit decorelementen werden opgestapeld. 'Die welvingen vormen de zekerheid dat we hier veilig zijn,' fluisterde Romy me toe, terwijl we ons naar een soort nis begaven. De Ket en Rosita volgden ons, maar eenmaal in de bewuste nis vleide Romy zich tegen mij.

Het volgende ogenblik wist ik niet meer dat ik in een kelder zat in Berlijn en kende ik de Ket niet meer, maar was ik in de ogen van Romy gedoken die mij als sterfputten uitnodigden. Stil hoopte ik dat het nog een hele tijd mocht duren... de tijd van de eerste kus. Er stroomde iets door mijn lichaam waarop ik geen naam kon plakken. 'Dit moet het paradijs zijn,' dacht ik.

Hoelang we daar zo hadden gestaan, ontging me volledig, maar het afblazen van het alarm riep ons terug tot de werkelijkheid.

'Het is gedaan,' zei de Ket.

Het was inderdaad gedaan en ik kon het alleen maar betreuren. Wie weet hoeveel slachtoffers alweer niet gevallen waren en ik vond het spijtig dat het afgelopen was. Was dat wel normaal? Ik troostte me met de gedachte dat ook dit oorlog was. Bovendien was ik ervan overtuigd dat de Ket er zich geen bal van aantrok. Misschien was hij met Rosita tot dezelfde ervaring gekomen.

Toen we ons alweer buiten onder de donkere hemel bevonden, deed iedereen zich voor alsof ze naar de markt geweest waren. Dat was ook zo voor Romy en Rosita, terwijl ik eerder van een reis naar de maan terugkwam. De eerste minuten kon ik zelfs geen woord uitbrengen. Romy kneep me in de arm.

'Ben je er nog?' vroeg ze stil.

'Het... het is dat bombardement,' stamelde ik.

'Welk bombardement?'

Hoe het nu moest verdergaan bleef voor mij een groot vraagteken, maar naargelang ik weer tot mijn positieven kwam, werd het me duidelijk dat hier geen toekomst inzat. Hoezeer ik het met Romy ook zou kunnen vinden, ik zou het nooit zonder Sonja kunnen stellen. Toch kon ik een volgende afspraak met Romy in Anhalter Bahnhof niet weigeren. De Ket bleek veel minder gesteld op een weerzien met Rosita, maar was in de kelder van de "Rezi" ook niet onder de bekoring gekomen van Rosita. Op de terugweg naar de Wilhelmstrasse deelden we elkaar onze ervaring mee.

'Die Romy van jou is een stuk mooier dan Rosita,' meende de Ket.

'Dat is een kwestie van smaak.'

Ik had de Ket nog maar zelden horen lachen zoals deze keer.

'Dan is die Romy bij jou wel sterk in je smaak gevallen! Je stond haar letterlijk af te likken!'

Daar bleef het bij. De omstandigheden lieten ons niet toe om er nog langer over na te denken, want Melisande kreeg al een paar dagen later het bericht uit Londen dat Lorette naar Berlijn kwam in het gezelschap van een hoogst belangrijke wetenschapper, die door de Duitse Sicherheitsdienst scherp in de gaten werd gehouden. Het kwam eropaan die man geen moment uit het oog te verliezen en zijn komst naar Berlijn als een doodgewone familiale aangelegenheid te laten verlopen. Dat het avontuur met die belangrijke wetenschapper niet kon worden vergeleken met wat we hadden meegemaakt met professor Branstetter en Eva Paulus, was nu al te voorspellen. Branstetter en Eva hadden Berlijn eigenlijk niet gezien en waren in dat vliegtuig gestapt alsof ze een café binnengingen. Ze verdwenen als in rook en verder niets. Tenzij het voorval met Wolfgang. Over het lijk van die dode man werd niets vernomen. Zelfs geen kort bericht in de Beobachter.

Het feit van de bijzondere oplettendheid van de Sicherheitsdienst voor de bewuste wetenschapper, die niemand minder was dan professor Erich Liebheimer en rechtstreeks medewerker van Werner von Braun, de leider in Peenemünde, noopte Melisande tot strikte maatregelen voor de veiligheid van de oude professor. Ook de betreurde echtgenoot van Melisande had nog samengewerkt met Liebheimer, zodat het voor haar ook geen totaal onbekende was. Anderzijds was Melisande de leidster in Duitsland van de hele operatie en zij droeg de verantwoordelijkheid voor het veilig verloop ervan.

Melisande vond het geraadzaam om geen risico te lopen en zou de aankomst van professor Liebheimer met Lorette inderdaad als een familiaal bezoek laten voorkomen. Ze zou de professor en Lorette onderdak bieden in haar pensionnetje, zodat ze bij de hand waren wanneer de overplaatsing naar Rangsdorf diende te gebeuren. Ondertussen konden ook wij kennismaken met de professor en ik verheugde me in ieder geval op een weerzien met Lorette. Er ging van haar iets uit dat ik niet onder woorden kon brengen.

Op de Ket bleek de ontwikkeling van de zaak niet meer indruk te maken dan al het vorige. Hij was als een automaat die alle bevelen strikt uitvoerde. Niets zou hem uit zijn evenwicht brengen. Dat bleek al toen de professor en Lorette in het pensionnetje arriveerden. Professor Liebheimer was een oud man en zag er ook uit als een oud man. Niet zo voor Lorette. Zij had tenslotte al een huwelijk achter de rug en ofschoon dat op uiterst jonge leeftijd kon zijn gebeurd, zag ze er nu zeker niet uit als een weduwe. Ze was nog mooier dan toen ik haar voor het eerst zag.

Melisande was er alweer om mijn gedachten te raden.

'Waarom kijk je zo schaapachtig naar Lorette? Je gaat toch niet verliefd worden op een weduwe, die op de koop toe enkele jaren ouder is dan jij?'

Vanzelfsprekend had ze gelijk. Bovendien wilde ik Sonja niet vergeten. Sonja was mijn lief, mijn vrouw, mijn zuster en mijn moeder. Het feit dat ik hier in Berlijn naar andere vrouwen keek, kwam gewoon omdat ik Sonja miste. Het kwam niet bij me op om Sonja te bedriegen, maar het belette me niet om in bewondering te staan voor een andere vrouw. En dat kon Lorette zijn... of Romy. Verdorie, die Romy... niet te ontkennen dat het een lekker stuk was.

'Ik vind Lorette een knap meisje,' zei ik stil tot Melisande.

'Het is een vrouw.'

Over die professor vernam ik van Lorette tijdens een zitje in de kelder van Melisande, dat hij één van de wetenschappers was van het Kaiser Wilhem-Instituut, waar al in 1938 de atoomsplitsing werd ontdekt. Liebheimer was er nagenoeg zeker van dat zelfs Werner von Braun niet weigerig zou staan tegenover het aanbod van de Amerikanen. Liebheimer meende tevens dat de atoombom niet meer nodig was om Duitsland op de knieën te krijgen. Anderzijds waren er de Jappen die hun hele kamikazesysteem zouden beschouwen als klein duimpje tegen de kolos van de Grieken.

Mijn gesprekje met Lorette werd verstoord door Melisande en de professor en de mededeling dat kort bij de ingang van het pensionnetje twee kerels hadden postgevat, die de deur geen moment uit het oog verloren. Ook de Ket verscheen in de kelder met hetzelfde bericht. Ook nu weer was Melisande niet uit haar evenwicht te krijgen.

'Daardoor verplichten ze ons de grote middelen te gebruiken!' riep ze.

Verrassingen waren steeds aan de orde met Melisande. Maar wat ze nu uit de kast haalde, overtrof nog al het vorige. Ze vroeg ons haar te volgen naar een kleine cel die volledig gevuld bleek met allerlei uniformen van het Duitse leger, zowel het uniform van een soldaat als dat van een generaal was beschikbaar. Tot zelfs de eretekens.

'Wat moeten we daarmee?' vroeg de professor. 'Of we hier de deur uitgaan in uniform of niet, ze hebben ons onmiddellijk beet!' mompelde hij.

'Mijn beste Erich,' zei Melisande kalm. 'Daarom gaan jullie de deur ook niet uit!'

Onze gastvrouw begon ons gewoon uit te leggen dat we allen het gepaste uniform zouden aantrekken en op het gegeven moment het pensionnetje zouden verlaten langs de tunnel, die uitgaf in de tuinen van de

Rijkskanselarij. Van daaruit zouden we ons naar een uitgang begeven, waardoor we een heel eind verder om de hoek van de straat zouden belanden, volledig buiten het gezichtsveld van de twee bewakers bij de deur van het pension. Zelfs de Ket en ik, die al wisten van de tunnel, keken nu samen met de professor en Lorette naar Melisande, alsof ze ons het geheim van de atoombom zelf had verteld.

Wanneer dat allemaal moest gebeuren hing uiteraard af van het signaal uit Londen en wanneer het vliegtuig in Rangsdorf zou landen. In afwachting kon er wat uitvoeriger gepraat worden met de oude professor. Hij had het voornamelijk over de V2-bom, het vernietigingswapen waarmee Hitler hoopte dat Winston Churchill zou inzien dat Duitsland onoverwinnelijk was. Liebheimer lachte dit helemaal weg.

'Weet Werner von Braun dat dan niet en waarom stopt hij er niet mee?' wou Lorette weten.

'Hitler is de baas,' zei Liebheimer. 'Ook al zou hij zelf niet meer geloven in de overwinning, hij zal blijven vechten tot de laatste man. Zonder hem zal er geen Duitsland meer zijn. Zo wil hij het.'

Dergelijke gesprekken waren niet van aard om mijn humeur op te kikkeren. Ik overwoog stil of het wel verstandig was om nog langer in Berlijn te blijven. De Ket bracht wel begrip op voor deze vraag, maar meende dat we er in België niet beter aan toe zouden zijn en dat we er wel die driehonderd mark zouden missen. Dat had hij al eerder gezegd, maar hij bleef het maar herhalen. Ook al zei ik hem mijn leven niet voor driehonderd mark te verkopen.

'Later krijgen we er een medaille voor!' wierp hij op.

Van Lorette wilde ik graag vernemen hoe zij de toekomst zag. Haar grote ogen plantten zich in de mijne. Ze vertrouwde me toe helemaal niet aan de toekomst te denken, tenzij aan het einde van die oorlog. 'Daarna keer ik terug naar Brussel. De omstandigheden zullen ervoor zorgen wat er met mij verder zal gebeuren.'

'Denk je nooit aan een nieuw huwelijk?'

Lorette scheen mijn vraag wel te hebben verwacht, want haar antwoord volgde onmiddellijk en vastberaden.

'Daar denk ik helemaal niet aan en het is het minste van mijn zorgen. Bovendien leeft Helmut nog altijd in mij.'

Die man van haar moet wel een gelukkige kerel geweest zijn, dacht ik. Lorette was blijkbaar iemand die zich volledig gaf eenmaal ze zich inzette voor iets of voor iemand. Dat was nu ook het geval wat haar opdracht betrof. Als het van haar afhing, zou ze alle wetenschappers die in het Duitse rijk nog leefden weghalen en naar Amerika sturen.

Aan de kant van Gunther in Rangsdorf gebeurden er een paar vreemde dingen, die hem het angstzweet bezorgden. De kleine Wolfgang nam zijn taak alweer zeer ter harte en liet zelfs geen vlieg door naar het vliegveld. Gelukkig maar dat Gunther hem zijn wapen had afgenomen. Door het optreden van Wolfgang had hij de vermoedens van een paar dorpelingen wakker gemaakt. Er moest zich op dat vliegveld iets afspelen dat niet mocht worden gezien of geweten. Gunther vertelde Wolfgang dat het beter was de dingen op hun beloop te laten zolang er geen nieuwe kandidaten opdaagden voor het overvliegen van de plas. Er viel immers niets te zien op het vliegveld.

In het pensionnetje van Melisande kreeg ze af te rekenen met de twee mannen van de Sicherheitsdienst, wiens geduld opraakte omdat ze niets meer te zien kregen van de oude professor. Ze belden gewoon aan bij Melisande, die hen met haar breedste glimlach ontving. Of ze de professor even konden zien.

'Heren, de professor is hier in goede handen,' lachte Melisande de mannen weg. Wanneer Liebheimer ook nog op de gang verscheen, bolden de mannen het af. Toch maar beter zo vlug mogelijk naar Rangsdorf. Het bezoek van die twee geheime agenten voorspelde niets goeds.

De uniformen werden uitgekozen en gepast. Melisande vond het beter om geen tijd te verliezen. De professor kreeg het uniform van een kolonel aangemeten met een paar eretekens, terwijl Lorette zich tot zijn secretaresse omtoverde. De Ket en ik werden twee gewone ploeken. Naarmate de tijd vorderde, groeide er een onmiskenbare spanning in het gezelschap. Alleen Melisande, die ons weliswaar niet naar Rangsdorf zou vergezellen, was eens te meer niet uit haar evenwicht te krijgen.

Het was de bedoeling om in de vroege avond te vertrekken. Dat was het moment waarop er veel personeel de kanselarij verliet langs de bewuste uitgang. Tussen hen mochten Liebheimer en zijn gezelschap niet opvallen. Eenmaal buiten was het metrostation van de Potsdamer Platz niet ver. Nog steeds niet helemaal overtuigd met de wending die ons avontuur nam, vroeg ik de Ket of we toch niet beter zouden proberen het schip te verlaten. Met die twee kerels voor de deur en een wandeltochtje in de tuinen van de Rijkskanselarij, op een zucht van Hitlers SS-ers, achtte ik het geen spelletje meer. De wekelijkse driehonderd mark mocht dan nog een stimulans van waarde zijn, met een paar kogels in mijn body zou ik er vet mee zijn.

De Ket luisterde niet eens naar wat ik zei.

'Trek die spullen aan en wees een man,' knalde hij.

Met die woorden trof hij mij rechtstreeks boven mijn ogen, waar al mijn verstand en mannelijke trots lag opgestapeld. Een paar ogenblikken later stond ik voor hem en Melisande in het ornaat van een Duitse ploek, die al enkele veldslagen had overleefd. 'Je ziet er verschrikkelijk angstwekkend uit,' riep de Ket.

Melisande knikte goedkeurend en trok me naar haar toe.

'Geef me een kus,' zei ze teder.

Verdorie nog aan toe, dacht ik. Waarom nu die kus, alsof we de dood tegemoet gingen? Bovendien was het een aanslag op mijn hart. Ik keek haar recht in de ogen als om haar duidelijk te maken dat het geen kus tot afscheid was. In de marge van mijn gedachten stond geschreven dat ik van haar hield... als van een moeder.

Omstreeks zes uur in de vooravond opende Melisande de toegang tot de tunnel, terwijl we allemaal diep adem haalden. In het schijnlicht van een zaklamp zag ik dat de professor er wat bleekjes bijliep. En Lorette? Waarom vroeg zij me niet om haar te kussen? Ik zou me er waarachtig heel wat anders bij gevoelen.

Het zou mijn ijdelheid hebben gestreeld. Misschien zou het geweest zijn zoals met Romy: warm en gulzig. Datzelfde gevoel had ik nooit met Sonja. Misschien waren we nog te jong.

Die tunnel was als een levensgrote riool, duister, vochtig en koud. Gelukkig had Melisande ons allemaal van een zaklamp voorzien, zo niet zouden we de uitgangsklep nooit gevonden hebben.

'Idioot,' verweet de Ket me. 'Die uitgangsklep kan zich nergens anders bevinden dan bij de uitgang. Dus, aan het einde van de tunnel.'

Hij had gelijk, hoewel ik zijn opmerking al even idioot vond. Natuurlijk bevond die klep zich aan het einde van de tunnel. Mij werd opgedragen om als eerste de klep open te duwen en te kijken of alles veilig was. Veilig? Die tuinen van de Rijkskanselarij waren sowieso niet veilig. We zouden ons letterlijk in de muil van de leeuw bevinden. Ver verwijderd van het beeld dat ik me herinnerde toen Adolf Hitler in 1933 tot Rijkskanselier werd benoemd. De beelden die we toen in de filmactualiteiten te zien kregen, herinnerden me aan de pronkerige feesten van de Romeinen, nu ook met vele duizenden aanhangers en lange vaandels met het hakenkruis. Een nieuwe Caesar was geboren, dacht ik. Dat was een schromelijke vergissing: een nieuwe Nero werd geboren.

Die klep leek wel honderd kilo te wegen en toen ik door een spleet in de tuinen trachtte te kijken, keek ik in een nog donkerder gat dan in de tunnel. De zaklamp mocht ik niet gebruiken, want niemand zei mij dat er geen nazi met zijn twee poten op de klep stond.

Gelukkig bleek dat niet het geval te zijn toen ik de klep, die aan de buitenkant met gras bedekt was, volledig open duwde. De nachtelijke duisternis liet mij niet toe wat dan ook te ontwaren toen ik me uit de tunnel hees. Alleen wat overblijvende sneeuwplekken zorgden voor enig zicht op de omgeving. Terwijl de anderen zich uit de tunnel hielpen, trachtte ik in de duisternis een levend wezen te vinden, maar tevergeefs. Een twintigtal meter verder veranderde het landschap. Niet alleen werd het pad verlicht door het zwakke schijnsel van een lantaarnpaal, maar we bevonden ons meteen in een groep mannen en vrouwen, allemaal in uniform. De meesten groetten de professor-kolonel Liebheimer, die elke groet beantwoordde. Bij de uitgang stond er weliswaar een wachtpost, die iedereen ongestoord liet, behalve de professor en zijn gevolg.

'Ik ken jullie niet,' zei de ploek.

De professor had blijkbaar zijn koelbloedigheid teruggevonden en schreeuwde de arme soldaat bijna toe.

'Wat doe je hier dan? Je laat iedereen gaan en mij hou je staande!'

De ploek werd plots enkele centimeter kleiner en stotterde.

'Ne... neem me niet kwalijk, veldmaarschalk...'

We verlieten de tuinen van de Rijkskanselarij alsof er geen vuiltje aan de lucht was, maar begaven ons bijna vliegend naar Potsdamer Platz, het overdrukke metrostation.

De rit naar Rangsdorf verliep vlekkeloos, maar Gunther bleek zich ernstige zorgen te maken betreffende de uiteindelijke goede afloop van de operatie met Erich Liebheimer. Er werden blijkbaar veel eieren gelegd onder de oude man. Zijn uitstapje naar Berlijn werd in Peenemünde met weinig begrijpende gevoelens bekeken, nadat er al een paar wetenschappers spoorloos waren verdwenen. Naar die twee werd overigens druk gezocht, want een vlucht naar de Verenigde Staten werd door de Duitsers niet voor mogelijk geacht.

Dat was zowat alles wat Gunther ons wist te vertellen. Waarom er in Londen werd gewacht om de oude professor op te halen, bleef ons een raadsel. Het duurde nog enkele dagen vooraleer Melisande ons meldde dat Liebheimer nog die avond zou vertrekken. In de vooravond doken ineens die twee Duitse officieren bij Gunther op, die er al eerder waren geweest. Ze hadden toen alleen hun interesse betoond voor het vliegveld. Nu stonden ze oog in oog met professor Liebheimer, die gelukkig zijn uniform niet meer droeg. De drie mannen keken elkaar een ogenblik sprakeloos aan. Gunther stelde ze aan elkaar voor.

'Professor Liebheimer is een vriend en is op bezoek,' zei hij. Dan wendde hij zich tot de professor en stelde de twee officieren voor: 'Kolonel Rupert Steinbach en stafofficier Claus von Stauffenberg.'

Kolonel Steinbach keek de professor wat achterdochtig aan.

'Professor... menen wij niet te weten dat u één van de belangrijkste wetenschappers bent in Peenemünde?'

Die oude professor was er al een eerste keer in geslaagd mij te verbazen toen we voor die wachtpost stonden in de tuinen van de kanselarij en ook nu bewees hij nooit het noorden te verliezen.

'Heren,' zei hij. 'Bij mijn weten maakt u beiden deel uit van de legerleiding in rechtstreeks contact met de Führer. Het verbaast mij u hier op deze weinig belangrijke plek te ontmoeten.'

De twee officieren waren duidelijk onder de indruk van de professors opmerking. Ik meende zelfs een bepaald ongemak in hun houding op te merken.

'Zouden we niet gaan zitten,' trachtte Claus von Stauffenberg de gespannen sfeer te breken. Door hun komst strooiden de twee officieren een serieuze brok roet in het eten betreffende het vertrek van Liebheimer. De kers op de taart volgde nog toen we later het gezamenlijk avondmaal beëindigden en de kleine Wolfgang zijn intrede deed, zoals steeds uitgedost in het uniform van de Hitlerjugend. Ik zag de twee officieren als het ware van kleur veranderen.

'Ik zal zeker maar de wacht optrekken,' riep de knaap.

We keken hem allemaal aan alsof hij het einde van de oorlog was komen aankondigen. Wolfgang stond stokstijf voor kolonel Steinbach.

'Wie is die jongen?' vroeg Steinbach.

'Een vriendje uit de buurt,' mompelde Gunther wat verveeld. Moesten die twee kerels juist nu opduiken, alsof ze net van Hitlers knieën kwamen. Wat kwamen ze hier eigenlijk doen en wat moesten ze met dat vliegveldje? Vragen waarop Gunther geen antwoord wist, maar die hem verschrikkelijk kwelden. Dat ontging Lorette niet, die zich al die tijd erg zwijgzaam had opgesteld, maar nu vastbesloten leek helderheid te scheppen. Uit de grote handtas, die haar nooit verliet, diepte ze plots een serieus pistool op en legde het voor haar op tafel. Ze wendde zich tot Steinbach en von Stauffenberg: 'Mijne heren... om middernacht zal professor Liebheimer door een geallieerd vliegtuig opgehaald worden, om naar Londen te vertrekken van waaruit hij naar de Verenigde Staten gaat. Mocht u zich daartegen verzetten, zal ik niet aarzelen dit pistool zijn werk te laten doen.'

De spanning in de kamer waarin het gezelschap zich bevond, was te snijden. Lorette nam de houding aan van iemand die niet zou aarzelen de daad bij het woord te voegen. De twee officieren schrokken zich dood, keken elkaar aan, om dan met een brede glimlach om de mond uit te roepen dat ze in de hemel waren terechtgekomen, met Jezus als vrouw en omringd door haar apostelen. Claus von Stauffenberg stond op en richtte zich plechtig tot het gezelschap en in het bijzonder tot Lorette.

'Fräulein... wij bewonderen uw moed om open kaart met ons te spelen. Het toeval wil echter dat ook wij het einde van die oorlog willen en daarvoor tot drastische maatregelen willen overgaan. Dat is ook de reden waarom wij hier zijn en het vliegveld hier willen gebruiken. Wij staan dus volledig aan uw zijde en zijn bereid een helpende hand toe te steken.'

'Daar moet op gedronken worden,' riep Gunther.

Door een samenloop van omstandigheden gebeurde hier een belangrijk moment, dat onmiskenbaar een plaats zou innemen in de geschiedenis over het verdere verloop van de oorlog. Dat was in ieder geval wat Melisande berichtte naar Londen. Nog voor ze echter in die mogelijkheid was, dienden wij erover te waken dat Liebheimer veilig kon vertrekken.

Terwijl Wolfgang tijdelijk voor het nachtelijk uur de wacht optrok, begaven wij ons naar het vliegveld met Steinbach en von Stauffenberg als gezelschap. Ze waren vooral geïnteresseerd in de goede werking van de seincabine, maar zetten grote ogen op toen Gunther zowat een halfuur voor middernacht, de lichten liet aanflitsen die de landingsbaan tot een baan als in volle dag omtoverden. De twee officieren uitten hun bewondering voor deze "stunt". Bij mij rees echter de vraag "welke stunt" zij hier kwamen voorbereiden. Ook Lorette, die beide mannen geen moment uit het oog verloor, stelde zich dezelfde vraag. Toen even later het vooralarm de stilte doorbrak, ging alle aandacht naar de landingsbaan en probeerde iedereen de eerste tekenen van een vliegtuig te ontwaren in de duistere hemel. Het groot alarm weerklonk toen de eerste bommen vielen en de zoeklichten de hemel aftastten. Ze vormden als het ware een web rond het eerste vijandelijke vliegtuig dat ze in hun straalarmen konden vangen. Tussen het gedonder van de vallende bommen, die zeker niet voor de omgeving van Rangsdorf bestemd waren, klonk plots het ratelende geluid van machinegeweren. Steinbach merkte op dat het van hun jagers afkomstig was en dat het bewees dat er in de lucht gevochten werd.

Een geruststellende vaststelling was het niet, want indien de kist die Liebheimer diende op te pikken, het tijdens een gewoon bombardement zonder Duitse jagers kon waarmaken, was dat niet meer zo simpel wanneer de Luftwaffe op de loer lag. In ons kleine gezelschap groeide de angst. Het wachten op het tweemotorig vliegtuig werd bijna pijnlijk. Het middernachtelijk uur gleed voorbij zonder enig spoor van de machine, die de professor naar de vrijheid moest vliegen. Om één uur besloot Gunther de operatie af te blazen en terug te keren naar het hotelletje. Ook de kleine Wolfgang werd verlost van de taak, die hij zo graag voor zijn rekening nam. In het hotel stelde hij iedereen gerust betreffende een eventueel uitlekken van het in gebruik nemen van het vliegveld. Die vrees was inderdaad gegroeid na de moord op Hildegarde. Wolfgang had echter vernomen dat Hildegarde wel degelijk vermoord werd, maar dat ze het slachtoffer geworden was van een wraakneming. Het had niets te maken met haar vlucht uit Peenemünde.

Het verhaal van Wolfgang was inderdaad geruststellend, maar iedereen bleef zich afvragen waarom de professor niet werd opgehaald zoals was afgesproken. Het zou nu wachten zijn op een nieuwe afspraak. Lorette zou samen met de professor in het hotelletje blijven, terwijl de Ket en ik de volgende ochtend terugkeerden naar Melisande. Ook de twee officieren verlieten Gunthers hotel, maar verzekerden hem dat ze vrij vlug zouden terugkeren. Ook zij hadden de bedoeling om het vliegveldje te gebruiken, om een bepaalde opdracht uit te voeren.

Samen met de Ket draaiden we de Wilhelmstrasse in toen we een paar honderd meter verder ineens de twee mannen van de Sicherheitsdienst opmerkten. Die kerels hadden het blijkbaar nog niet opgegeven en dachten waarschijnlijk dat professor Liebheimer zich nog steeds in het pensionnetje bevond. Het leek ons geraden om de mannen te ontwijken. Als de bliksem keerden we de Wilhelmstrasse de rug toe en gingen we de richting uit van Anhalter Bahnhof, waar we hopelijk in een verwarmde hal terecht zouden kunnen. Door de koude ochtend liepen we er verkleumd bij. We bereikten het aloude, maar nog steeds rechtstaande station, waar nog steeds treinen vertrokken naar alle hoeken van het land en zelfs naar Brussel en Amsterdam.

Een walm van gebakken worst drong tot diep in de neus van bij de eerste stappen in de ruime hal, waar een gespannen drukte heerste. Alsof iedereen er zo vlug mogelijk weg wilde. Alleen het oude vrouwtje achter haar stalletje met de geurige gebakken worsten, maakte geen aanstalten om te vertrekken. Al van bij het binnenkomen in de hal liep het water mij in de mond. Nog voor ik een woord had gezegd, stond de Ket al aan het stalletje. Ik volgde hem als een hond wiens meester hem naar een lekker potje leidde. Een ogenblik keek ik recht in de ogen van het oude, fel gerimpelde vrouwtje. Opeens werd ik overmand door een groot gevoel van medelijden met het mensje. Op haar leeftijd moest het niet eenvoudig zijn om hier dagelijks achter dat stalletje met worsten te staan, tot ze er dood bij neerviel. Ze wendde haar blik af en reikte me een broodje met warme worst toe. Toen ik er mijn tanden inzette, stond daar ineens Romy voor mij. De afspraak met haar was me totaal ontgaan.

De Ket stond me aan te staren, wachtend op mijn reactie. En eigenlijk was ik blij met de verschijning van Romy. Ze leek weliswaar omzwachteld als een Eskimo, maar het belette niet er een jonge schoonheid onder te vermoeden.

'Romy... ik weet niet wat ik moet zeggen...'

Ze zag natuurlijk wel dat ik naar de juiste woorden van verontschuldiging zocht.

'Zeg maar niks,' lachte ze. 'Ben je niet blij me te zien? Dit moet de wil van God zijn!'

'Ik weet niet of God er iets mee te maken heeft... Wat doe je hier, Romy?'

'Hetzelfde als jij! Worst eten!'

De Ket stond er wat bij te trappelen.

'Is Rosita niet mee?' wendde hij zich tot Romy.

'Zij lust geen worst!'

Eigenlijk ontbrak me de inspiratie om wat zinnigs te zeggen. Romy verbaasde zich over het feit dat ik geen contact had opgenomen met haar. In de mening me daarvoor nadrukkelijk te moeten verontschuldigen, zei ik een vreemdeling te zijn, die zich niet wilde opdringen. De schalkse Romy wuifde mijn argument weg met de wat eigenaardige uitspraak dat ik maar niet moest denken dat ze mij als een vreemde beschouwde omdat ik geen aanhanger was van de Führer, want dat zij dat ook niet was.

'Zeg dat niet, Romy,' raadde ik haar zacht aan.

'Ik ben niet bang meer,' beweerde ze. 'Hij heeft dit land en het volk in een oorlog gestort, die niemand wou.'

'Hadden ze dat niet eerder moeten beseffen?' kwam de Ket tussen.

Omdat ik vreesde dat het gesprek een gevaarlijke discussie zou worden en de smaak van mijn worstje eronder zou lijden, wierp ik op dat het geen zin had om daarover nog verder te lullen. De Ket begreep mijn wenk wel en hield zich koest. Romy ontving nu haar worstje met appeltjes en deed alsof ze niets had gezegd. Ik verbrak haar stilzwijgen met de vraag of ze nog aan de kost kon komen in de zwaar geteisterde stad.

'Geen probleem,' klonk het antwoord. 'Ik werk in het Sportpalast en daar is altijd wel iets aan de hand. Binnenkort komt de mankepoot er weer uithuilen hoeveel Russen ze hebben gedood en hoe groot hun overwinning was op een Brits slagschip, dat eigenlijk maar een vissersloep was.'

'Verdomme, Romy, zwijg!' Ik kraaide het er uit, terwijl het tot me doordrong dat ze iets had gezegd dat me deed beven van het beeld dat in mij opwelde. 'Romy... de mankepoot... bedoel je Jozef Goebbels?'

'Wie anders!' keelde ze.

Alsof de Ket mijn gedachten had geraden, porde hij me aan en mompelde stil: 'Vergeet het.' De kans was echter te schoon en kwam als uit de hemel gevallen. Goebbels in het Sportpalast en Romy die mij tot voor zijn bakkes kon loodsen. Ik zou hem kunnen neerknallen als een hond, terwijl het gezichtje van Sonja voor mij zou verschijnen. Gelukkig besefte ik al vlug het naïeve van dit plan en dat mijn verbeelding me parten speelde. Ook al zou Romy geen uitstaans hebben met de nazi's en hun leiders, dan betekende dat nog niet dat ze bereid zou zijn een handje toe te steken om er eentje naar de andere wereld te helpen. Bovendien was er de Ket die op de terugweg naar de Wilhelmstrasse me aan het verstand probeerde te brengen dat een moord nog altijd een moord bleef en dat Goebbels dat niet waard was.

'Toch heb ik met Romy afgesproken om elkaar terug te zien,' weerlegde ik. Waarschijnlijk had de Ket het bij het rechte eind toen hij beweerde dat ik haar beter kon terugzien voor iets anders, dan om te bespreken hoe ik Goebbels koud kon maken.

Bij het indraaien van de Wilhelmstrasse wachtte ons een verrassing. Van de twee agenten van de Sicherheitsdienst was er geen spoor meer te bekennen. Dat ze echter niet zomaar waren verdwenen vernamen we van Melisande. De twee mannen hadden bij haar geïnformeerd naar professor Liebheimer, waarop Melisande haar verwondering had uitgedrukt, maar dat de professor al de vorige dag het pension had verlaten. Waar hij naartoe ging had hij niet gezegd.

Hiermee moesten de twee kerels zich wel tevreden stellen. Anderzijds wist Melisande al dat de Ket en ik uit Rangsdorf waren teruggekeerd en zij had zich zorgen gemaakt over ons lang uitblijven. De Ket vertelde haar over onze ontmoeting met Romy en welke droom zij bij mij had doen ontstaan. 'Te gek om zich iets dergelijks in te beelden,' besloot hij.

Melisande legde haar handen op mijn schouders. 'Mijn jongen,' zei ze, 'je zou het Sportpalast niet levend meer verlaten en het lijk van Goebbels zou nog niet koud zijn, of Hitler zou al een vervanger hebben aangeduid.'

En gelijk had ze. Alsof ze het onderwerp als afgedaan beschouwde vroeg Melisande ons wat we met de uniformen hadden gedaan.

'Bij Gunther!' riep de Ket.

We vertelden haar over de twee officieren bij Gunther en hun interesse voor het vliegveld. 'Ze voeren iets in het schild, maar ze kwamen gezwind mee om Liebheimer te zien vertrekken.'

'Een vertrek dat niet doorging,' mijmerde Melisande, 'en ik weet nog altijd niet waarom.' Ondertussen bood ze ons een kom warme soep aan, maar het viel op dat Melisande er niet helemaal bij was. Blijkbaar maakte ze zich zorgen over iets.

'Jullie keren best terug naar Rangsdorf,' zei ze wat afwezig. 'Ik heb het voorgevoel dat er iets niet klopt met die twee mannen van de Sicherheitsdienst. Ik acht het niet uitgesloten dat ze hier vandaag nog binnenvallen en het kot overhoop zetten. Ik heb de kelder afgesloten en het is beter dat ze jullie hier niet aantreffen.'

Dat kon kloppen, dacht ik. We slurpten onze soep uit en achtten het beter om onmiddellijk de plaat te poetsen. Melisande zei nog dat we ons om haar geen zorgen hoefden te maken, want dat ze aan haar niet zouden raken omwille van de reputatie als wetenschapper van wijlen haar echtgenoot.

We verlieten het pension en trokken naar Potsdamer Platz, toen er alweer een luchtalarm werd aangekondigd. De klank van de sirene klonk waarachtig vermoeid. Dat leek ook zo voor de velen die zich in het ondergrondse station bevonden. Tijdens het bombardement zouden er vanuit Potsdamer Platz geen treinen vertrekken, zodat we wel genoodzaakt waren het einde van het alarm af te wachten. Dat was maar goed ook, want te oordelen naar het geluid buiten, ontploften de bommen vlakbij. Gewoonlijk waren het meestal brandbommen die met pakken naar beneden kwamen, maar deze keer wees het uitzonderlijk gesis van zware neerkomende bommen op de grote wonden die ze sloegen in onze nabijheid. Het station zat nu barstensvol en velen hadden zich voorzien van een deken, wat erop wees dat ze hier de nacht zouden doorbrengen. Sommigen deden het met grote kartonnen dozen en bouwden zich waarachtig een nestje. Wij slaagden er nog in om een plekje te vinden tussen twee oude vrouwen, die geen ogenblik zwegen. Ze ratelden er maar op los tegen elkaar en trokken zich geen bal aan van de twee jonge kereltjes, die tussen hen waren gekropen. Uit hun gesprek konden we afleiden dat ze daar al dagen en weken naast elkaar lagen, wachtend tot er een einde kwam aan die oorlog.

Veel aandacht schonken we niet aan wat die twee dametjes aan elkaar te vertellen hadden. Tot ze op een bepaald ogenblik spraken over een soldaat van de Wehrmacht, die hier aan iedereen die het horen wilde, verkondigde dat hij met eigen ogen had gezien, hoe de Joden met duizenden werden omgebracht door gasverstikking in het kamp van Treblinka. Met tranen in de ogen vertelde hij een christenmens te zijn. Hij bekende dat hij de opdracht had om het gas op te halen en aan te voeren, terwijl ze hem hadden wijsgemaakt dat het om een ontluizingsmiddel ging. Zijn naam was Kurt Gerstein en hij was naar het consulaat geweest van het Vaticaan om zijn bevinding aan de Paus kenbaar te maken. Er werd hem echter de deur gewezen, waarna hij zijn geweten trachtte te sussen, door het aan het Duitse volk zélf te vertellen.

Diep onder de indruk en alweer aan Sonja denkend, luisterde ik naar de twee vrouwen, die blijkbaar niet veel geloof hechtten aan wat die Gerstein (in 1945 zou hij zelfmoord plegen in een militaire gevangenis in Parijs) bijna had uitgeschreeuwd. Zijn verhaal leek hen zo gruwelijk en ongeloofwaardig dat ze er bijna om gingen lachen.

Opnieuw overrompelde mij de gedachte aan een aanslag op één van de nazileiders. Ik voelde dat ik iets moest doen, maar ik had wel begrip voor de mening van de Ket en Melisande. Het belette niet dat het in mijn hoofd bleef gonzen van de mogelijke kansen, die ik zou hebben om het er levend vanaf te brengen. Het waren er niet veel.

'Ik lees op je gezicht dat je weer op iets zit te denken dat je beter zou vergeten,' fluisterde de Ket me plots toe. Ook hij had naar het verhaal over Kurt Gerstein geluisterd en raadde mijn gedachten.

'Je hebt gelijk, maar ik heb het moeilijk,' zei ik stil.

Het bombardement was al een tijdje gestopt en ook het alarm was afgeblazen, toen het stel voor Rangsdorf het station binnenreed. Tijdens de rit spraken we nagenoeg niet, waardoor het leek dat hij eeuwig duurde. Rangsdorf vormde een groot contrast met de drukke Potsdamer Platz. Hier kwam je letterlijk geen kat tegen. Het hotelletje van Gunther, dat wat afgelegen lag, leek me ineens als een spookkasteel. Ik herinnerde me de dag waarop mijn kameraad uit Diegem me hiernaartoe mee vroeg en me aan Gunther had voorgesteld. Ik dacht er toen in de verste verte niet aan hoe het mijn leven zou veranderen en hoe ik in het nummer 119 van de Wilhelmstrasse terecht kwam. En dan Melisande. Die vrouw zou ik nooit meer uit mijn gedachten kunnen bannen, ook niet al zou ik stokoud worden. Zij veranderde mijn kijk op de wereld.

Amper een uur nadat we bij Gunther waren aangekomen, kreeg hij het bericht dat Liebheimer die nacht zou worden opgehaald. Dit was een opluchting voor iedereen en zeker voor de professor, die weer in het uniform van kolonel rondliep. 'Ik voel me er me zo goed in,' zei hij wanneer hem de vraag werd gesteld.

Dat Lorette al was vertrokken, vond ik spijtig. Zij straalde zoveel zekerheid uit. In haar nabijheid had ik steeds een gevoel van veiligheid alsof niets me kon overkomen. Dat was typisch voor een jonge vent die zich aangetrokken voelde tot een vrouw die wat ouder was. Maar goed dat dit gevoel al vlug verdreven werd door het afscheidsmaal dat Gunther voor de professor had klaargemaakt en waarbij wij eveneens mochten aanzitten. Mogelijk was Gunther geen meesterkok, maar rekening gehouden met de omstandigheden was wat er op tafel kwam niet te versmaden. Een half piepkuikentje in dragonsaus. Waar hij het vandaan haalde, zal zijn geheim blijven. Er hing wat mist over het vliegveld toen we er aankwamen. Waarschijnlijk kwam die mist overgewaaid van het meer, waarvan het koude watervlak dampte alsof het onderaan in brand stond. 'Dat is een normaal verschijnsel,' zei de kleine Wolfgang, die in de nabijheid van het meer de wacht optrok. Ondanks het feit dat de lente al was ingetreden, bleven de nachten bitterkoud. We hadden nog minstens een uur voor de boeg, vooraleer we het tweemotorig vliegtuig mochten verwachten. De seincabine was onze enige schuilplaats.

Wachten op de vlucht naar de vrijheid van op een plek waar de dood op elk ogenblik kan toeslaan, leek de oude professor te vergelijken met een open plek in de jungle waar een paar hongerige tijgers op de loer liggen om je op te peuzelen.

'Zou dat niet een ietwat overdreven verbeelding zijn?' sprak de Ket. 'Hier zijn geen tijgers!'

'Omdat we ze niet zien,' stamelde Liebheimer.

Het angstgevoel van de professor was moeilijk te begrijpen voor iemand die niet in zijn situatie verkeerde. Voor hem was dit niet alleen een vlucht naar de vrijheid, maar ook een trek naar het verraad. Was hij niet op weg om zijn vaderland naar een diep ravijn te leiden? In Peenemünde had hij zijn verstand en zijn krachten ingezet om de vijand uit te schakelen en te vernielen. Zo werd het hem tenminste voorgespiegeld met het argument dat de bewuste vijand de oorlog had uitgelokt. Dat bleek een grove leugen. Misschien was dat wel de reden om van kamp te veranderen. Of was hij gewoon bezweken voor het financiële aanbod van de Amerikanen? De mogelijkheid om zich nog te bedenken was er niet, want daar loeide het vooralarm. Het betekende zoveel als het vertreksein.

Gunther liet meteen de lampen naast de landingsbaan aanflitsen, terwijl de Ket en ik ons naar de piste begaven. Liebheimer bleef in de cabine wachten tot het vliegtuig goed en wel op de grond stond.

Een paar minuten later flitsten de zoeklichten van de luchtafweer aan en er werd bijna onmiddellijk daarop geschoten. De vangarmen van de zoeklichten toverden de nachtelijke hemel om tot een helder web, alsof een gigantische spin het had gesponnen. Het vliegtuig dat er in gevangen geraakte, was nagenoeg veroordeeld tot vallende brokstukken.

Wij probeerden nog te volgen wat er boven ons hoofd gebeurde, toen we het geluid opvingen van de naderende motoren van de machine waarop we wachtten. Tot onze verbijstering zagen we het tweemotorig vliegtuig uit de duistere achtergrond opduiken met rokende staart. Bovendien hing het toestel wat door aan de linkerkant, terwijl de piloot wanhopige pogingen deed om het rechtlijnig te laten landen. Toen het toestel de grond raakte, gebeurde dit met een oorverdovende ontploffing en het vliegtuig veranderde in een enorme vuurbal, waarvan de vlammen hoog oplaaiden. Dit was een catastrofe waarbij de twee piloten het leven lieten. We snelden naar de brandende cockpit van het toestel, hopend er de piloot en zijn copiloot te kunnen uitsleuren, maar alle hulp bleek vruchteloos. We konden alleen toekijken hoe alles zou worden herleid tot puin en as, terwijl Gunther kwam aangelopen. We stonden er machteloos bij toen we het geluid opvingen van een naderende brandweerwagen. Enkele nieuwsgierigen waren blijkbaar voorbij Wolfgang geraakt en verschenen op de piste en keken vol afschuw naar het brandend wrak.

Ondertussen zat professor Liebheimer nog steeds in de seincabine en keek radeloos naar buiten. Hij had alles kunnen volgen, maar had van Gunther de raad gekregen om de cabine niet te verlaten.

De brandweerwagen voerde in zijn zog ook een ambulancewagen mee, maar de verzorgers konden slechts de twee verkoolde lijken uit het smeulende wrak halen. Veel tijd hadden de brandweermannen niet nodig om het vuur te blussen. Na het gedane werk verlieten de wagens het vliegveldje, alsof het maar een routinewerkje was geweest. Ook de rampkijkers dropen af. Inmiddels was het alarm afgeblazen en trad een akelige stilte in op het veld, waar nog steeds een nevelachtige wolk over het landschap hing.

In de seincabine overwoog Gunther met ons en de professor wat er nu moest gebeuren. Er werd besloten om de professor opnieuw naar Melisande te brengen en de bevelen uit Londen af te wachten. De catastrofe met het tweemotorig vliegtuig kon de Wehrmacht wel eens verdacht voorkomen en zo zouden ze ontdekken dat het niet zomaar de noodlanding van een getroffen vijandig toestel was.

Er werd nu uitgekeken naar de kleine Wolfgang, die nog niet in de cabine was verschenen zoals afgesproken. Samen met de Ket begaven wij ons naar de plaats waar Wolfgang de wacht moest optrekken. De jongen was echter nergens te bespeuren. Niet zonder angstgevoel voor wat hem mogelijk was overkomen, zochten we in de onmiddellijke nabijheid naar iets wat ons naar hem kon leiden. Slechts enkele stappen verder vonden we het levenloze lichaam van de arme jongen. Hij werd duidelijk in het hoofd geschoten.

De aanblik van de dode knaap greep me sterk aan.

Dit was het einde van een jong leven dat door de krankzinnige ambitie van slechts één man, in een roes van moord en geweld werd meegesleurd. Hoe was dit mogelijk geweest? Hij moest nog een kind geweest zijn toen hem een uniform werd aangemeten en hem de voorspiegeling werd wijsgemaakt op een heldhaftig leven. De werkelijkheid was anders, vooral voor zijn vader. Het had Wolfgang voor de keuze gesteld, een keuze die hij maakte toen hij op ons botste. Hij betaalde het met zijn leven.

***

Hoera! De geallieerden waren geland in Normandië op 6 juni 1944. Het was uiteraard niet zonder tegenstand van de Duitsers kunnen gebeuren. Hitler had er zelfs zijn woestijnvos, Erwin Rommel, naartoe gestuurd in de hoop dat die weer een aap uit zijn mouw zou schudden, maar toen de legers onder de leiding van generaal Eisenhower voet aan land zetten, was Rommel in de verste verte niet te bespeuren.

Met zijn "Operatie Barbarossa" (de Duitse aanval op de Sovjet-Unie) had Hitler zijn vinger diep in zijn oog gestoken. Er moest nu op twee fronten gevochten worden. De hoop dat Rudolf Hess erin zou slagen een vredesverdrag te sluiten toen hij op 10 Mei 1941 op zijn eentje naar Engeland vloog, werd door Winston Churchill totaal weggewuifd. Op de koop toe bleken de Russen niet voor eeuwig ingeslapen te zijn, ook al verschoten ze zich een breuk toen de Duitsers hun grenzen overschreden alsof ze een café binnen stapten.

Papa Stalin maakte zich kwaad en zei dat hij elke Rus die een stap achteruit zette zélf overhoop zou schieten. Dat maakte indruk op zijn onderdanen, want ze wisten hoe juist hij kon schieten. In Siberië lagen de lijken die hij achterliet op hopen.

In Stalingrad botsten de Moffen op... de winter, de sneeuw en de honger. En bovendien begonnen die Russen ook ineens te schieten. Driehonderdduizend Duitse soldaten werden er omsingeld en uitgehongerd.

Zo luidde de toestand die Melisande opving en die ze ons met grote tevredenheid mededeelde. Indien het uit elkaar vallen van het Duitse leger voor de Berlijners nog met zovele doekjes voor het bloeden werd omschreven in de Beobachter, kon de nazikrant de landing van de geallieerden in Normandië niet ontkennen of verdoezelen. In Berlijn werden de Sovjets gevreesd als de pest, maar de vijandelijke landing op het vasteland bezorgde de hoofdstadsbewoners een vreselijke schok.

Weinigen durfden het openlijk te zeggen, maar het stond als geschreven op hun gezicht. De oorlog had hun niet gebracht wat de Führer hun had beloofd. De ontgoocheling was groot en slechts weinigen geloofden nog in een mirakel. De berichten werden echter steeds griezeliger.

Sinds het ongeluk met het tweemotorig vliegtuig in Rangsdorf en de moord op de kleine Wolfgang, was het wachten geblazen op de nieuwe bevelen uit Londen. We zaten als gevangen in de kelder van Melisande, die zich verheugde op de aanwezigheid van de oude professor Liebheimer. Voor Melisande was hij als een nieuwe echtgenoot die ze vertroetelde, maar die ze ook overstelpte met haar bevelen over wat hij wél en niet mocht. De arme man mocht alleen nog slikken naar goeddunken.

Ondertussen werd Melisande vanuit Londen en persoonlijk door Churchill ingelicht over de “Operatie Foxley”, niet meer of niet minder dan het van kant maken van Adolf Hitler. Een schitterend idee dacht ik, maar de Führer werd bewaakt als de Britse kroonjuwelen in de Londense Tower. Met die gedachten in het hoofd had ik de mooie Romy nog terug ontmoet. Deze samenkomst was niet verlopen zoals ik me had voorgenomen. Over een eventuele aanslag op wie dan ook, werd er helemaal niet gesproken. Romy loodste me mee naar haar geboortehuis of wat ervan overbleef. En dat was niet veel. De woning die in een zijstraat was gelegen van de Kurfürstendam, had vreselijk ingeboet van haar 19de-eeuwse schoonheid. Alleen de hoge eiken straatdeur bleef nog over met een kleine hal, een stukje van de keuken en de eetkamer, die nu dienst deed als slaapkamer voor Romy. Haar vader had deel uitgemaakt van het Afrikakorps en sneuvelde in Tobrouk. Haar moeder had de eerste bombardementen in Berlijn niet overleefd.

Over deze gebeurtenissen sprak Romy in korte bewoordingen, maar voor ik het goed besefte, lagen we op haar bed of wat ervoor doorging. Het zou een enorme leugen zijn indien ik hier zou beweren ongevoelig te zijn gebleven voor de charmes van Romy. Ik weet uiteraard niet in hoeverre het hier om haar debuut ging in de zeer delicate kunst van de liefde, maar in no time steeg mijn bloeddruk naar een hoogtepunt. Zuiver nadenken zat er niet meer in en voor mij kon de rest van het gebouw nu ook maar ontploffen. Romy liet mij al de sterren aan de hemel zien, zonder dat ik maar even in de gelegenheid was om ze te tellen. Dit moet het paradijs zijn, dacht ik. En het geluk was met ons. Er werd niet gebombardeerd, tenzij in mijn hoofd. Hoe moest ik dát uitleggen? Een zinloze vraag want buiten de Ket was er geen mens aan wie ik dit moest vertellen. Zelfs niet aan Sonja, voor het geval het arme kind zou zijn ontsnapt aan de nazi's. De Ket zou me alleen maar benijden.

Alsof ik een paar liter schnaps door mijn keel had laten sijpelen, keerde ik terug naar de Wilhelmstrasse. De Ket wist vanzelfsprekend vanwaar ik kwam en wilde al onmiddellijk weten welke nazi ik het eerst om zeep zou helpen. Ik zei hem dat ik mezelf om zeep had geholpen, waarop hij luid in lachen uitbarstte.

Melisande bleef maar doorrazen over de droom van Churchill met zijn "Operatie Foxley". Waar en hoe Hitler om het hoekje kon worden gebracht, kon niemand zeggen. 'Tenzij ik,' riep professor Liebheimer. We bevonden ons allemaal samen in de kelder, waarin we het meeste van onze tijd doorbrachten. De professor zat gewoonlijk op een stoel te mijmeren. Hij was zeker geen praatzieke man. Het feit dat hij nu zijn stem verhief om op de koop toe iets onvoorstelbaar te zeggen, deed ons geschrokken opkijken. Alle blikken richtten zich vragend naar hem. Blijkbaar schepte hij er genoegen in want het duurde enkele ogenblikken vooraleer hij weer zijn mond opende.

'Het is een lang verhaal,' hernam hij traag. 'Jullie weten waarschijnlijk dat de echtgenoot van Melisande mijn vriend en collega was. Nog voor Hitler zijn oorlog ontketende, wisten wij al dat hij er de lont zou aansteken. Samen ontwierpen wij deze kelder en de tunnel, die we in de tuinen van de Rijkskanselarij lieten uitmonden. Dat was een beetje als grap bedoeld. Maar... toen wij daarmee bezig waren, kwamen we tot de ontdekking dat er in diezelfde tuinen een bunker werd gebouwd, van waaruit de hele legerleiding kon gebeuren indien het nodig zou blijken. Ik ben ervan overtuigd dat het moment niet meer veraf is.'

Zowel Melisande als de Ket en ik gingen nu wat gemakkelijker zitten als om het verhaal van de professor beter te verwerken. We beseften welke mogelijkheid hier voor het grijpen lag, indien Hitler vroeg of laat in die bunker zijn toevlucht zou zoeken. Dat was voorlopig nog niet het geval, maar Melisande seinde het verhaal van de professor in ieder geval door naar Londen. Weinig later ontving ze het bericht dat de "Operatie Foxley" werd stopgezet, maar dat de kansen voortspruitend uit de tunnel naar de bunker in de tuinen van de Rijkskanselarij, dienden onderzocht te worden. Melisande wist zo al wat ze daarmee in Londen bedoelden. Er moest minutieus nagegaan worden waar die bunker zich precies bevond, in hoeverre er bewaking was en op welke tijdstippen er wat bijzonders gebeurde. Hoofdzaak bleef echter wanneer Hitler zijn intrek zou nemen in de bunker en wie hem daarbij zou vergezellen.

Wat in Duitsland nog steeds een groot geheim was, was dat niet meer voor de Britse geheime diensten. Zij wisten met zekerheid dat Adolf Hitler een minnares had en dat het om Eva Braun ging, een meisje dat hij in 1931 leerde kennen in München. Toen het Arendsnest in Berchtesgaden volledig klaar was (1936), gingen ze er als tortelduifjes samen wonen, maar stelde den Dolf zijn liefje voor als zijn secretaresse. Allen die hem omringden, mochten het geheim niet verraden. De Duitse vrouwen zouden het hun Führer nooit vergeven. Martin Borman diende erover te waken dat er geen roddels ontstonden. Ook hij kreeg een woning op de berg van Berchtesgaden en hij was verantwoordelijk voor de goede orde op de berg. Indien Hitler zich ooit zou komen verschuilen in de bunker van de Rijkskanselarij, was de kans groot dat hij Eva Braun naast zich wou.

Het was nu zaak om uit te kienen op welke manier wij Dolf en zijn Eva konden vergasten op "een gezellig feestje", op het ogenblik dat ze hun intrek zouden nemen in de bunker.

Het was te verwachten dat Gunther met veel interesse naar ons uitkeek en probeerde te volgen wat hier allemaal werd besproken, terwijl het bij hem rustig bleef. De lijken van de twee piloten en van de kleine Wolfgang werden in alle eenvoud begraven op het kleine kerkhof van Rangsdorf. Op het vliegveld werd alles opgeruimd alsof er niets was gebeurd. De oorlog ging verder. Gunther snakte naar beweging. De volledige aftakeling van het nazitijdperk lag in het vooruitzicht en daarin wilde hij nog graag een rol spelen.

Tot mijn grote verbazing begon de gedwongen rust op de zenuwen te werken van de Ket. Zo erg zelfs dat hij sprak om Berlijn de rug toe te keren, alsof dat de eenvoudigste zaak ter wereld was.

'En die driehonderd mark?' herinnerde ik hem.

'Die krijgen we hier zelfs niet op en ik heb al genoeg gespaard om er in België een jaar van te leven.' Zijn antwoord klopte, maar ik zag niet op welke manier wij uit Berlijn konden vluchten. Je moest verdomd goede papieren hebben om alle controles door te komen.

'We verstoppen ons op een trein!' riep de Ket.

Waarschijnlijk meende hij het wel, maar hij besefte niet dat alle vertrekkende treinen vanuit Berlijn tot in de toiletten werden uitgekamd. Geen hond bleef ongemerkt. En tenslotte was er de opdracht om Hitler een kopje kleiner te maken, nu men in Londen afwist van de tunnel naar de bunker van de Rijkskanselarij. Het kon niet lang meer duren vooraleer Hitler zich in die bunker zou verschuilen.

Nochtans waren de berichten over de gevechten aan het westelijk front niet optimistisch. De Duitsers staken zichzelf in geallieerde uniformen om de Amerikanen in de rug aan te vallen. De oorlog ontaarde in terreur. Niets werd nog gerespecteerd. Dit was geen oorlog meer.

Die dag begaf ik me bijna onbewust naar Anhalter Bahnhof, terwijl de Ket van Melisande de opdracht had gekregen om haar braadoven uit te schrobben en schoon te maken. Ik hoorde hem bijna tot hier vloeken.

Anhalter Bahnhof was de plek waar ik bijna zeker wist dat ik er Romy zou aantreffen. Het was als een afspraak die we nooit afgesproken hadden. Het eerste wat mij opviel, was de afwezigheid van het dametje met de gebakken worsten. De lekkere verleidelijke geur van haar kummelworsten had nu plaatsgemaakt voor de typische Berlijnse stank, die sterk begon te gelijken op die van de talloze lijken onder het puin. Toen ik Romy op mij zag afkomen, was het alsof ik haar voor het eerst zag. Haar ogen straalden als kleine lichtjes en haar mond was als een roos die pas was opengebloeid. Eens te meer viel het me op hoe mooi ze wel was. Hoe was het mogelijk dat dergelijke schoonheid viel op een onbenullig kereltje zoals ik? Dit had ik ongetwijfeld te danken aan het feit dat ze geen keuze had. Alle Duitse jonge mannen zaten aan een of ander front. Een ogenblik drong het tot mij door dat die oorlog voor mij iets goeds inhield. Of toch niet?

'Ik wist dat ik je hier vandaag zou aantreffen,' zei ze. 'Ik werd als het ware naar hier gedreven.'

Ik nam haar zacht bij de arm en loodste haar mee naar buiten, waar een fris windje ons gezicht streelde. Het was zomer en de weinige bomen die nog recht stonden hadden hun groene kleedje aangetrokken. Net alsof ze zich geen barst aantrokken van de oorlog. Een ogenblik was dat ook het gevoel dat ons overmande en werd de wansmakelijke Berlijnse geur vervangen door een waarachtige lavendelgeur. Het was slechts het goedkope parfum van Romy.

'Kus mij,' zei ze stil.

Ondanks mijn jeugdige leeftijd en het feit dat ik met Romy toch al wat had meegemaakt, klonk haar verzoek toch zeer verrassend. Geen man zou hieraan weerstaan. Ik sloot haar in mijn armen en kuste haar alsof ik tot in haar ziel wilde doordringen. Mijn hele lichaam trilde van genot.

'Wat kan jij kussen, zeg,' lispelde ze.

Niet verwonderlijk dat ik me ineens een grote piet voelde. Ik kan kussen en dus ben ik een man, zong mijn hart. Waar sta je nu, Adolf Hitler, met je kanonnen en je oorlog? Hier groeit liefde, man! Daar kan jij niet tegen op!

De werkelijke wereld lachte ons echter uit, want we werden opgeschrikt door de alarmsirene die de komst van bommenwerpers aankondigde. We bevonden ons niet ver van Potsdamer Platz en vonden het geraadzaam om te schuilen. We bereikten amper de trappen naar de ondergrondse, toen we het angstwekkende geluid van de eerste vallende bommen opvingen. Beneden, op de onderste verdieping, was het weer drummen. In geen tijd stonden alle kaaien vol. Romy, als een echte Berlijnse, vond het allemaal zeer normaal en tippelde als een nimf door de menigte. Die kus liet een fantastisch heerlijke smaak na. Dat mij dit moest overkomen met een Duits meisje kon mij geen fluit schelen. Waartoe dit nu met Romy moest leiden, was een vraag die ik me op dit ogenblik niet stelde. Een gevolg van de oorlog, dacht ik. Het viel immers niet te ontkennen dat ik sinds maanden had leren leven met het gevoel van "vandaag ben ik er nog wel en morgen zien we wel".

Mijn bewustzijn botste met mijn onderbewustzijn, maar in beide gevallen bevond ik me tegenover een muur, waar ik onmogelijk over kon. Ik kwam waarachtig in opstand met mijn geweten. Ik wist niet meer wat zeggen en nog veel minder wat doen. Ik heb niets gezegd en niets gedaan. Nadat het alarm werd afgeblazen, nam ik afscheid van Romy, terwijl ik duidelijk op haar voorhoofd las "versier me". Ik deed maar alsof ik het niet zag en beloofde haar lief een spoedig weerzien. Dan stapte ik vastberaden naar de Wilhelmstrasse toe.

De Ket luisterde helemaal niet naar wat ik hem vertelde. Hij was nu bezeten van het plan om Berlijn achter zich te laten, welk risico dat ook mocht inhouden. Ik had er wel oren naar, ware daar niet Melisande om ons te herinneren aan de opdracht "Hitler moet dood". In aanwezigheid van professor Liebheimer deed ze haar plan uit de doeken, terwijl ze ons twee cirkelvormige toestelletjes toonde, niet groter dan een luciferdoosje. 'Kijk,' zei ze. 'Dit ene toestelletje is een bom met de kracht om een hele wijk op te blazen en dus ook de bunker. Het andere toestel is de afstandsbediening. Men hoeft alleen een code in te drukken, die de bom tot ontploffing brengt. Zo simpel is het. We plaatsen de bom nabij de bunker en we wachten tot de Führer uit zijn schuilplaats komt om wat frisse lucht in te ademen. Dan gaat hij de lucht in.'

De professor juichte het plan toe, maar de Ket en ik hadden onze bedenkingen.

'Ondertussen zit de Führer nog altijd in zijn Arendsnest en niets wijst erop dat hij dat eerstdaags zou verlaten om zich in die bunker te verstoppen,' opperde ik.

'Doet hij het tenslotte toch, wanneer weten we dan wanneer hij die frisse lucht komt inademen?' trad de Ket me bij.

De blik die Melisande ons toewierp, verraadde

alleen dat onze opmerkingen niet gewaardeerd werden. 'Wachten is de boodschap,' zei ze.

De Ket wilde echter niet wachten tot de huilebalk in die bunker zou verschijnen en begon al onmiddellijk met voorzorgen om Berlijn te laten voor wat het was. We wilden hoe dan ook weg nog voor de Russen hier hun opwachting zouden maken. Ze waren trouwens niet zo ver meer hier vandaan. De Berlijnse vrouwen gingen dagelijks op hun knieën bidden om toch maar eerst met de Amerikanen kennis te maken. Het gerucht deed immers de ronde als zouden de Russen zelfs de etalagepoppen in de winkels verkrachten.

'Ga je ons vertrek ook aan die Romy van jou vertellen?'

De Ket stelde die vraag terwijl hij bezig was met een handkoffertje te vullen met wat materiaal, dat ons gebeurlijk nuttig kon zijn bij onze vlucht. Hij stopte niet alleen een beitel en een paar sterke messen in het koffertje, maar zelfs een kleine koevoet, een brood en een fles thee. 'Voortaan zetten we geen voet meer buiten de deur zonder dat koffertje,' kraaide hij, terwijl ik zat te piekeren over Romy. Ik wilde doodgraag de hemel in met haar, maar haar meenemen naar België leek me uitgesloten. Zoiets zou inhouden dat ik ook verder met haar door het leven wou en dàt zag ik niet zitten. En wat als Sonja die oorlog overleefde, wat ik stellig hoopte?

Wanneer wij nu precies zouden vertrekken wist ik niet, maar indien Melisande de Ket nog een keer zou vragen om haar braadoven uit te schrobben, zou de beslissing niet uitblijven.

'We moeten het aan Melisande zeggen,' zei ik.

'Ze zal al wel een vermoeden hebben,' meende de Ket.

En dat klopte. Toen we Melisande op de hoogte brachten van onze bedoeling, verscheen er een pijnlijke trek om haar mond. De oude professor zat erbij en zei geen woord.

'Ik heb het voelen aankomen,' zei Melisande stil. 'Ik kan jullie niet tegenhouden, maar bedenk goed welke keuze jullie maken. Nu vluchten blijft een risico om opgepakt te worden met alle gevolgen van dien. Hier blijven en wachten op het einde van de oorlog is een wissel trekken op het veilig terugkeren naar eigen land.'

'Je vergeet iets,' merkte de Ket op. 'Hier wachten op het einde van de oorlog is niet meteen de zekerheid op een veilige terugkeer naar eigen land. Er is de bunker en er is de Führer. En wat mij betreft is hier blijven zoveel als de Führer en zijn bunker de lucht in blazen, met het risico dat we allemaal mee de lucht ingaan.'

'Je bent niet geestig!' huilde ik.

Een ogenblik heerste er stilte en kon je zo voelen dat iedereen, de professor inbegrepen, dat laatste liet bezinken. Wat was de beste keuze? En hoelang kon die oorlog nog duren? Op die vraag durfde niemand een antwoord te geven. De Russen liepen de Duitsers onder de voet, maar in het westen ondervonden de geallieerden felle weerstand.

'Ik wil met Gunther spreken,' zei ik.

Daar was iedereen het mee eens, in zoverre dat de Ket en ik onmiddellijk het pensionnetje verlieten en ons naar Potsdamer Platz begaven. De Ket griste het koffertje met het materiaal mee, alsof we nu al de benen namen.

'Stel je voor dat het pension van Melisande ondertussen plat ligt,' mompelde hij.

'Verdomme Ket! Vandaag ben je in volle vorm! Eerst blaas je onszelf de lucht in met de bunker en nu leg je het pensionnetje plat! Waar ga je eindigen?'

Bij Gunther werden we ontvangen alsof hij ons in geen eeuwen meer had gezien. Hij wist uiteraard wel van de tunnel en de opdracht om Hitler van kant te maken, maar de Ket vertelde hem al onmiddellijk dat we Berlijn vaarwel wilden zeggen.

'Komen jullie afscheid nemen?' vroeg Gunther.

'Wij willen vooral weten wat jij erover denkt.'

'Is dat belangrijk?'

'Voor ons wel. Wij willen ook bij niemand het gevoel achterlaten alsof we als dieven in de nacht zijn verdwenen.'

'Dus toch een afscheid!'

Dit gesprek dreigde zeer pijnlijk te worden, toen Gunther zich wat glimlachend tot mij richtte.

'Is het niet zo dat jij hier een meisje hebt leren kennen?'

Niet dat ik me in nauwe schoentjes voelde kruipen, maar mijn voeten begonnen wel wat pijn te doen. Ik zou er mijn evenwicht bij verliezen, ware het niet dat ik de klassieker van alle tijden inriep.

'Het is oorlog, Gunther!'

'En dan is alles toegelaten,' lachte Gunther mijn verdediging weg.

'Nee, maar dan is alles anders! Ook de liefde!'

'Je neemt ze dus niet mee?'

De tussenkomsten van de Ket wanneer ik al eens in het nauw gedreven werd, waren niet altijd rustgevend, maar deze keer was ik blij toen hij Gunther wat terugdreef met de verwijzing naar het gevaar waarin we ons onvermijdelijk begaven met de vlucht uit Berlijn.

'Met een vrouw erbij zouden de kansen om te slagen sterk verminderen.'

Dat bleek voor Gunther een afdoende reden te zijn, maar ik zag op zijn gezicht dat hij onze vlucht niet kon appreciëren. Dat was begrijpelijk na alles wat we samen hadden meegemaakt. En tenslotte was de oorlog niet gedaan.

'Hoe willen jullie dat grapje uitvoeren?'

Met die vraag zocht Gunther hoogstwaarschijnlijk naar het argument om ons tot andere gedachten te brengen.

'Desnoods ga ik te voet!' lachte de Ket.

'Ik vind jullie besluit niet om te lachen,' merkte Gunther op.

'We verstoppen ons op een trein naar België,' zei ik wat aarzelend.

Gunther begon luid te lachen.

'Jullie kunnen beter geen moeite doen en rechtstreeks naar de Gestapo gaan en vragen of ze jullie even overhoop willen schieten!'

Er trad een lange stilte in, tot de Ket zich wat schuchter tot Gunther wendde.

'Eigenlijk hoopten we van jou wat goede raad...'

Gunther keek ons wat medelijdend aan.

'Ik vind het verschrikkelijk dat jullie weg willen, maar... indien jullie vastbesloten zijn moet ik toegeven dat je aangewezen bent op de trein. Alleen een goederentrein komt in aanmerking. Dat alleen geeft jullie de mogelijkheid om er een schuilplaats in te vinden. Al de rest is zelfmoord.'

Zo. Daarmee konden we het stellen. We verlieten Gunther in de beste verstandhouding en met een dikke knuffel. We keerden terug naar Melisande en besloten om nog diezelfde avond een poging te doen in Anhalter Bahnhof.

Dat viel niet in de beste aarde bij Melisande. Zij had gehoopt dat we ons nog zouden bedenken en vond het zo verschrikkelijk spijtig dat we haar nu al zouden verlaten. De maan stond al hoog aan de hemel toen we ons richting Anhalter Bahnhof begaven. Onderweg werd ik ineens overvallen door een vreemd gevoel. Ik zou vrijwillig de stad verlaten waar ik gedwongen naartoe werd gevoerd, maar waarvan ik had leren houden. Berlijn kruipt onder je vel en dat zal ik geweten hebben. Het mocht er dan nu nog zo stinken naar brandend puin en lijken die eronder lagen, het was niet zo wanneer ik hier aankwam. Integendeel zelfs, men werd er verrast door de wijze waarop de Berlijners de oorlog ondergingen: geen verduistering en ontspanningsmogelijkheden bij de vleet. En dan die Duitse muziek, klassiek of schlagers, het klonk allemaal typisch Duits. Ook al was de koningin van het Duitse chanson een Zweedse: Zarah Leander.

In de ruime hal van Anhalter Bahnhof wemelde het van mensen die gepakt en gezakt de stad wilden ontvluchten. Meestal vrouwen en oude mannen die zo ver mogelijk naar het westen wilden. Het dametje met de gebakken worsten was er ook nu niet meer, maar het viel ons op dat de aanwezigheid van de Gestapo niet meer zo discreet werd gehouden. Ze waren nu met meerderen om controle uit te oefenen, wat ons helemaal niet zinde.

'Beter terugkeren naar de Wilhelmstrasse,' zei de Ket. 'We proberen het later nog wel.' Dat Melisande en de professor zouden opkijken was te verwachten. Melisande was niet alleen verbaasd, maar ook blij dat we weer in haar woonkamer zaten. Toen we haar vertelden dat de Gestapo iedereen controleerde in Anhalter Bahnhof, zei ze dat Londen naar een andere mogelijkheid zocht voor het overbrengen van de Duitse wetenschappers. Rangsdorf hield te grote risico's in. Met het gevolg dat Liebheimer zich als "de verloren professor" beschouwde. En eigenlijk was dat ook zo. Soms deed men de indruk op dat men zich daar aan de overkant van de plas wat vergaloppeerde in de ideeën om toch maar een einde te maken aan die oorlog. Hopelijk was dat niet zo met de atoombom, ofschoon het bestaan van dergelijk moordend wapen later velen op ideeën zou brengen.

Dat de Ket er geen vakantie zou van maken in de Wilhelmstrasse was zo goed als zeker. Hij hoefde trouwens geen bijzondere poging te doen om mij te overtuigen, want nu ik me eveneens vertrouwd had gemaakt met de vlucht uit Berlijn, leek het me beter om er niet verder mee te wachten.

Slechts een paar dagen later trokken we opnieuw

naar Anhalter Bahnhof, deze keer even voor middernacht. We hadden ook besloten om de grote ingang van het station te mijden en het aan de achterkant te proberen. We kenden daar wel een open akker die rechtstreeks naar de kaaien leidde.

Op dit uur van de nacht leek Berlijn wel een spookstad. Op weg naar het station kwamen we nagenoeg geen mens tegen, ook niet toen het vooralarm loeide. De nacht was tamelijk helder, wat de mogelijkheid voor gevechten in de lucht gemakkelijker maakte. De Luftwaffe zou er niet mee wachten, want het echte alarm werd amper ingeluid toen het geratel van mitrailleur geweer de stilte doorbrak. Wij haastten ons naar het station in de hoop dat de gebeurlijke reizigers en vooral de mannen van de Gestapo zich al in kelders of andere schuilplaatsen bevonden.

Dat was blijkbaar het geval betreffende de reizigers, maar niet voor de kerels van de Gestapo. Nu we het risico van een confrontatie in de grote hal hadden vermeden, kwamen we tot de ontdekking dat er zich ook twee van die snertventen op de kaaien bevonden. Een ogenblik bleven we pal staan. We stonden ongeveer op vijftig meter afstand van de twee Moffen. We hadden amper besloten om op onze stappen terug te keren, toen één van die kerels "blijven staan" keelde. Geen van ons beiden dacht eraan gevolg te geven aan zijn bevel. Als van de hand Gods geslagen, sprongen we terug naar de straat. Drie keer werd er geschoten. De kogels vlogen rakelings langs onze oren. Nooit eerder heb ik harder gelopen en nooit eerder heb ik de Ket zien rennen, alsof hij een leeuw op de hielen had. Na het laatste schot hadden we de hoek van de straat bereikt en bevonden we ons uit het vizier van de Gestapo kerels. In hun lange lederen jassen was het uitgesloten dat ze ons zouden volgen. Zelfs met het handkoffertje in de hand liep de Ket als een haas langs de straat en ik had alle moeite van de wereld om hem te volgen.

Uitgeput bereikten we de Wilhelmstrasse en er viel van de Gestapo niets meer te merken. Melisande viel bijna achterover van verbazing toen ze ons zag. Toen we haar vertelden hoe we aan de Gestapo ontsnapt waren, riep ze spontaan uit: 'Dat het de wil van God was, die niet wou dat we Berlijn de rug toekeerden.'

'Hij heeft gemakkelijk praten,' lachte de Ket. 'Hij zit in de hemel.'

Ook professor Liebheimer drukte zijn tevredenheid uit over het feit dat we niet vertrokken waren. Het zou ons niet weerhouden om het opnieuw te proberen, ofschoon we er enkele dagen overheen zouden laten gaan. De Gestapo zou nu wel goed uit hun doppen kijken.

'Neem een wapen mee als jullie het opnieuw willen wagen,' zei Melisande.

Daar dachten we geen ogenblik aan. Indien we ooit zouden worden opgepakt met een wapen in ons bezit, zou ons lot meteen bezegeld zijn. Dergelijk risico wilden we niet lopen. Die avond deed Melisande nog een ultieme poging om ons van gedachte te doen veranderen, door ons te vergasten op een heerlijk eetmaal. Ze was er waarachtig in geslaagd een jong konijntje uit haar mouw te schudden en het klaar te maken met gedroogde pruimen.

Het eten was uitstekend, maar het vermocht niet ons van mening te doen veranderen of onze plannen te wijzigen. Ook al zouden er honderd Gestapo mannen ons opwachten, dan nog zouden we ze proberen te verschalken. De dagen na deze mislukte poging gebeurde er niets in het pensionnetje en Gunther meldde dat Rangsdorf als van de wereld gescheiden was. Melisande vroeg zich af waarom er geen bericht kwam uit Londen.

De Ket en ik trachtten ons ongeduld wat te temperen met een uurtje kuieren op de Kurfürstendam, waar het bekende Hotel Wien nog steeds eten serveerde in het restaurant, waar een strijkje de weinige gasten trachtte te verstrooien. Het onderwerp van de gesprekken veranderde echter niet meer. Het dubbele front van Oost en West bleef de gemoederen verontrusten.

Op 21 juli verscheen de Völkischer Beobachter met een bericht op de voorpagina dat ons in de Wilhelmstrasse deed schrikken. De avond voordien werden stafofficier Claus von Stauffenberg en al zijn medeplichtigen in Berlijn geëxecuteerd, nadat ze diezelfde ochtend een aanslag hadden gepleegd op Adolf Hitler. Eens te meer verkondigde de Führer dat hij onsterfelijk was.

De dag daarna besloten we om opnieuw een kans te wagen en de Ket en ik trokken in de late avond naar Anhalter Bahnhof. Het regende pijpenstelen en de Ket hield het koffertje met het materiaal boven zijn hoofd, om zich tegen de regen te beschermen.

'Hopelijk hebben die mafketels van de Gestapo een schuilplaats gezocht tegen de regen,' zei de Ket.

Onderweg viel er geen mens te bespeuren en we bereikten het station zonder problemen. We vermeden onze neus binnen te steken in de lokettenzaal en begaven ons rechtstreeks naar de achterkant van het station. De afsluiting naar de kaaien maakte het ons niet moeilijk. Er stonden maar weinig treinen op de sporen en de eerste die onze aandacht trok was een goederentrein. Op de laatste wagon, die voor ons de eerste was, troffen we een papier aan waarop in grote letters te lezen stond “Gleis 11: Aachen”. In kleinere lettertjes werd het vertrekuur vermeld: 12.20. We keken elkaar aan en automatisch gingen we de gesloten deur van de wagon betasten. Ze was gesloten met een zware ketting. We begaven ons naar de tweede wagon en probeerden de deur open te trekken. En dat lukte ons. We trokken de deur half open en klauterden de wagon in, die nagenoeg volledig gevuld was met houten kisten. Achterin vonden we voldoende ruimte om er ons in te verbergen, zodat wie de deur zou opentrekken, ons niet kon zien. ‘Geniaal,’ zei de Ket terwijl hij het koffertje met het materiaal naast zich plaatste. Ondertussen ging ik de deur van de wagon toetrekken.

We bevonden ons nu in volle duisternis en probeerden het ons wat gemakkelijk te maken. Alleen enkele spleten in de wanden van de wagon lieten enig zwak licht door. We beseften dat we nog een uur moesten wachten vooraleer de trein zich in beweging zou zetten. We hoopten dat onze wagon niet meer zou worden gecontroleerd.

De stilte begon zwaar te wegen. We voelden ons als twee soldaten die stiekem het front verlieten. We verzonken elk in eigen gedachten. Eigenlijk hadden we elkaar leren kennen in omstandigheden die al even vreemd waren als de weg die we samen hadden afgelegd. De mensen die ons pad hadden gekruist, pasten helemaal niet in het verhaal, zoals ik het me had voorgesteld. Dat zou vol ouderwetse romantiek hebben gezeten, terwijl het in werkelijkheid alleen met geheimzinnigheid en bruut geweld te maken had.

Het duurde eeuwen voor we het geluid van stemmen opvingen in de nabijheid van onze wagon. Plots werd de deur van de wagon met knarsend lawaai opengetrokken en viel het schijnsel van een lamp op de kisten. We ademden zelfs niet, waarop de deur werd toegetrokken en afgegrendeld met kettingen. We voelden ons als muizen in de val.

Het werd opnieuw stil en ofschoon de minuten traag voorbijgingen en we verder ongemoeid bleven, slaakten we toch een zucht van opluchting toen de trein met een felle schok en krakend geluid in beweging kwam. De goederentrein reed het station uit, met gevolg dat we nu in volledige duisternis gedompeld werden. Ik zag zelfs de Ket niet meer zitten.

'Hoe komen we hier nu uit?' vroeg hij als voor zichzelf. 'We moeten hoe dan ook uit die wagon komen nog voor we in Aachen aankomen.'

Hij had gelijk. Zoals in elk station zouden er ook wel in Aachen mannen van de Gestapo rondhangen. En die konden we missen.

Onze trein was nu goed op gang gekomen en elke keer dat we een station passeerden viel er een zweem licht binnen onze wagon. De Ket begon het koffertje met het materiaal open te maken en haalde er de koevoet uit. 'We breken een plank uit, zodat we kunnen zien waar we zijn,' riep hij.

Hij betastte de wand en plaatste de koevoet tussen twee planken. Met slechts één flinke ruk brak hij een plank uit, waardoor we ineens een golf van kille frisheid binnen kregen. Door de tamelijk brede gleuf konden we nu een stuk van het landschap zien, maar veel leerde het ons niet. De Ket betastte nu de vloer van onze wagon en zei dat we daar een paar planken moesten uithalen, omdat het de beste weg was om te ontsnappen. Onmiddellijk voegde hij de daad bij het woord en hij begon de vloer open te breken.

'Gelukkig zijn die planken al aan het rotten,' stelde hij vast.

Terwijl hij dankzij de koevoet niet veel moeite had om een eerste plank los te krijgen, trachtte ik uit te vinden wat er nu eigenlijk in die kisten zat. Temeer omdat ik ze bijna niet kon optillen.

'Die kisten zijn loodzwaar,' schreeuwde ik.

Met een gat in de zijwand en een ander in de vloer van onze wagon, was het geluid van de over de sporen rollende trein verdriedubbeld. We waren veroordeeld om het gedurende uren te aanhoren.

De Ket had slechts iets langer dan een halfuur nodig om drie planken uit de vloer van de wagon te breken. Er ontstond een gat waar we zonder moeite door konden. We moesten ons maar tussen de sporen laten zakken en vermits we in de voorlaatste wagon zaten, was de kans klein dat we met een of andere hindernis af te rekenen kregen.

'Nu wil ik weten wat er in die kisten zit! Die koevoet bewaren we voor de rest van ons leven,' huilde de Ket.

Hoewel men geneigd is te denken dat het openen van zo'n kist kinderspel is, moest al vlug worden vastgesteld dat men beter de hele wagon kon afbreken. De Ket had een zee van tijd nodig om van een kist brandhout te maken. Onze verbazing was groot toen we vaststelden dat de kist uitsluitend gevuld was met grote dozen sardientjes in tomatensaus. Hoogstwaarschijnlijk waren die bestemd voor de frontsoldaten. We geloofden niet dat men in Aachen zat te wachten op de sardientjes.

'Het is ons gegeven om die sardientjes te testen,' riep de Ket.

'Weet je, Ket,' zei ik, 'nooit eerder heb ik de nacht doorgebracht in een duistere goederenwagon en met een halve gare, die denkt de kist van Ali Baba te openen en die stuit op duizenden sardientjes in tomatensaus.'

'Ik voel dit aan als een kus van God,' mompelde de Ket, terwijl we alweer mekaar niet meer zagen zitten. Uit het koffertje diepte ik niettemin een trektang uit en onmiddellijk, ofschoon op de tast, vielen we zo'n doos sardientjes aan. De geur van de in tomatensaus zwemmende visjes drong onze neus in. Met elk een klomp van het kummelbrood maakten we er een feest van.

'Dit is een nacht om nooit meer te vergeten,' smakte ik.

Ondertussen maakte de nachtelijke duisternis langzaam plaats voor het opkomende daglicht. Steden worden altijd voorafgegaan door een steeds dichter bebouwde kom en dat was voor Aachen niet anders. Bovendien was het middaguur overschreden en stonden de sardientjes recht in onze maag, al hadden we ze gul overgoten met de weinige vloeistof die we in het koffertje hadden gestopt. Met een dik pak Duitse marken in onze zakken vermochten we niets tegen onze uitgedroogde keel.

'We moeten eruit!' kraaide de Ket. 'Ik heb een wegwijzer gezien met Lutich erop! En dat is Luik! We kunnen dus niet ver van Aachen zijn!'

Voor alle zekerheid om geen ongelukken tegemoet te gaan, keek ik door de opening waardoor we ons zouden laten zakken. Er moest maar eens iets uitsteken onder die laatste wagon dat ons de kop kon kosten. Gelukkig bleek dat niet het geval en ik boog me als eerste door het gat. Ik gooide er vooraf het koffertje door en liet me dan vallen tussen de sporen. De Ket volgde ogenblikkelijk. De trein was al bijna uit het zicht verdwenen toen we weer bij onze positieven kwamen. Ik ging het koffertje oppikken, waarna we zo vlug mogelijk van de sporen liepen en op een verlaten weg terechtkwamen. Enkele meter verder stonden we voor de keuze tussen drie wegen. Rechtdoor verder gaan of kiezen tussen links of rechts. We kozen voor links omdat deze weg wat breder was en ons misschien tot voorbij Aachen zou leiden.

Veel weg hadden we niet afgelegd toen het lot ons plots voor een herberg plaatste. We hoefden zelfs niets tegen elkaar te zeggen, want zowel de Ket als ikzelf ondergingen als het ware de magische aantrekkingskracht van de bron, waaraan we ons konden laven.

Voor de deur van de herberg stond een soort landauer met een paard, dat geduldig wachtte op zijn baas, die hoogstwaarschijnlijk evenmin had kunnen weerstaan aan de drang naar vloeistof. Dat hadden we goed geraden want binnen zat slechts één klant en dat kon alleen de man zijn van de landauer. Hij kon niet veel minder dan zeventig zijn en keek ons aan alsof we twee oude bekenden waren van hem.

'Jullie komen zeker van ver,' riep hij lachend.

'Van Berlijn en we hebben dorst!'

'Dan trakteer ik jullie,' lachte hij verder, terwijl een tamelijk corpulent vrouwtje vanachter haar toog kwam en vroeg wat we lustten. We bestelden een grote pint bier en gingen aan tafel zitten, vlak voor de man die ons zo gul onthaalde.

'Komen jullie echt van Berlijn?' vroeg hij nog. 'Toch niet te voet?'

Op mijn beurt glimlachte ik naar hem.

'In een beestenwagon,' zei ik.

De man keek ons ongelovig aan, terwijl de dikke bazin ons bier serveerde.

'Mijn naam is Philemon. Mag ik vragen waar jullie naartoe gaan?'

'Naar Brussel en deze keer wel te voet!' antwoordde de Ket.

Philemon was ongetwijfeld een man die de voorzienigheid op onze weg had geplaatst, want hij smeekte ons bijna om samen met hem naar zijn boerderij te gaan.

'Mogen wij ook weten waar die gelegen is, Philemon?'

'Niet zover hier vandaan! In Chaudfontaine!'

Het scheelde geen haar of we riepen ons geluk uit. We kenden Chaudfontaine niet, maar we wisten wel dat het in België lag. Op hetzelfde ogenblik schrokken we even bij de gedachte dat we de grens over moesten.

'Hoe moeten we voorbij de grens?' keerde ik me naar Philemon.

Philemon legde zijn hand op mijn schouder.

'Wees wat minder loslippig in het vervolg. Ik raadde zo al dat jullie geen ticket hadden gekregen voor die beestenwagon. Maar wees gerust. We moeten inderdaad voorbij de grens, maar ik ken de weg waar je wel weet dat hij er is, maar waar je hem niet ziet.'

Niet ver hiervandaan, betekende toch dat we al nagenoeg twee uren in de landauer van Philemon zaten, toen hij op een bepaald ogenblik zei dat we al in België waren. Ik haalde diep adem en had het gevoel alsof de lucht anders smaakte. Die Philemon zou ik nooit meer vergeten. Hij was niet groot en had kromme benen alsof ze wat doorgezakt waren onder de zorgen, ook al had hij die niet. Nochtans... op zijn hoofd stond geen haar meer dat niet wit was en zijn gezicht was één grote rimpel.

Chaudfontaine bleek maar een gat te zijn, een dorp waar de bewoners niet tegen elkaar botsten bij gebrek aan ruimte. Ze hadden er ruimte zat en ook de boerderij van Philemon was groot in omvang, maar zeer klein voor wat Philemon er mee deed. Bijna niks. Hij leefde er met zijn paard, een varken en wat kippen. Een kluizenaar zou men denken, maar dat was hij niet. Philemon was eerder een blij man en een levensgenieter op zijn manier.

Als organisator bleek Philemon niet zonder kwaliteiten. Eenmaal in de boerderij toonde hij ons de kamer waar we die nacht moesten slapen. Daarna zou hij ons naar het station in Luik brengen, waar we de trein naar Brussel konden nemen. In afwachting zou hij ons deze avond nog vergasten op "spek met eieren". Nu dachten we echt dat Philemon een engel was die ons uit de hemel werd toegezonden. Alleen... dat van het Luikse station waar we zomaar de trein naar Brussel konden nemen, leek ons wat optimistisch. Uit ervaring wisten we dat elk station het uitverkoren plekje was van de Gestapo en Luik zou daarop geen uitzondering zijn.

'Dat klopt,' zei Philemon. 'Maar... om te beginnen zitten we hier in België en niet in Duitsland! Dit is bezet gebied en de Amerikanen zitten hen bijna op de hielen! Voor elke Duitser zijn er dus maar twee mogelijkheden: ofwel zit hij aan het front, ofwel is hij op de vlucht! Mocht er nog een derde reden zijn, dan is het niet in een idioot treinstation dat we die moeten zoeken!'

Het spek met eieren was uiteraard niet te vergelijken met de sardientjes in de tomatensaus. Temeer omdat we op de koop toe nog echte koffie toegeschoven kregen. Misschien was Philemon geen engel, maar een tovenaar.

Toen we in die richting een opmerking maakten, riep hij gewoon blij te zijn iets te kunnen doen voor twee jonge kereltjes, die hem door God werden toegezonden. Hij vertelde nog dat hij bij een oude bekende op bezoek was geweest, toen hij ons op de terugweg in die herberg aantrof.

'Indien jullie het willen, mogen jullie hier nog langer blijven,' voegde Philemon eraan toe.

Geen van ons beiden wist op dat ogenblik hoe we daarop moesten reageren. Het aanbod was alleszins aanlokkelijk. Vooral na het spek met eieren konden we moeilijk beslissen. Nog langer blijven hield misschien ook in dat Philemon ons voor elke maaltijd wou verrassen, wat niet te versmaden was. Bovendien zouden we hier veilig zitten. We zouden hier het einde van de oorlog kunnen afwachten. Maar... wanneer zou dat zijn? Het was niet Philemon die het ons zou zeggen en zo te zien zou zelfs Churchill het niet kunnen zeggen. De Duitsers bleken helemaal niet zinnens er een punt achter te zetten en zouden vechten tot in Berlijn.

We sliepen er een nachtje over en besloten om die ochtend toch maar onze biezen te pakken. Het ontbijt was alweer onvergetelijk, waarna Philemon ons nog een proper hemd bezorgde. We mochten ons opfrissen buiten met het water uit een diepe put. Het bleek een geweldige opkikker. Het boerderijleven leek ons echt niet zo kwaad.

Van Chaudfontaine naar Luik bleek deze keer wat de afstand betreft, uitstekend mee te vallen. Het afscheid nemen van Philemon was dat minder. We hadden amper de tijd gehad om met die man kennis te maken, maar de indruk die hij op ons naliet, was niet te omschrijven. We gunden hem een plaats diep in ons hart.

De drukte in het Luikse station was verrassend groot, alsof al deze mensen zich reeds in de bevrijdingsstemming waanden. Het geallieerde leger van generaal

Patton was weliswaar in aantocht, maar stapsgewijze. De Duitsers boden nog steeds hevige weerstand.

Philemon had wel gelijk toen hij zei dat er geen Gestapo te zien zou zijn. Hun afwezigheid was opvallend, precies alsof er hier nooit een oorlog was geweest. Waar kwamen al die mensen vandaan en waar gingen ze naartoe?

'Naar Brussel,' zei de Ket. 'Dat zie je toch.'

Hij had gelijk want we belandden in een bomvolle trein. Wat al deze mensen in Brussel zo aantrok, zouden we vernemen van een medepassagier.

'Het is woensdag! Beursdag!' zei de man.

Toen we onze verbazing daarover uitdrukten en opmerkten dat er tijdens de oorlog geen enkele beurs in Europa werkte, kregen we te horen dat het inderdaad klopte, maar dat er in Brussel op woensdag in de cafés nabij het beursgebouw van alles verhandeld werd, tot een olifant toe.

'Het is oké!' huilde de Ket. 'We zijn in België!'

Hoe dichter we Brussel naderden, hoe stiller we werden. We wisten beiden dat onze wegen hier zouden scheiden. We voelden dit aan als een belangrijke periode in ons bestaan, waarachter plots een punt werd gezet. Wat zou de toekomst ons brengen zonder de aanwezigheid van de andere? Dit vooruitzicht smaakte bitter. We hadden samen heel wat meegemaakt en alles gedeeld, de goede en minder goede momenten. Het kon niet dat het zo ineens zou ophouden.

'Ket,' zei ik stil. 'Ik ga je missen.'

'Doe niet gek,' mompelde hij.

Nog voor het Brusselse Noordstation in zicht kwam,

sprongen we uit de trein, die langzaam vaart was beginnen minderen. We lieten het Noordstation links liggen en kozen de richting van de Koekelbergse Basiliek, die nog maar amper half af was. De bouw van deze mastodont duurde al jaren. Het was vroeger een zandberg die men "de plateau" noemde. Als kleuter had ik er zandkasteeltjes gebouwd en weinig later ging ik met een bus rond om geld in te zamelen voor de Basiliek. Mijn moeder beweerde toen dat God het mij zou lonen. Tot nog toe had ze gelijk.

Vermits de Ket de richting van Anderlecht uit moest, zouden we nog samen blijven tot bij de Basiliek, waar hij dan links zou afslaan en ik rechts naar het ouderlijk huis. Ik verheugde me nu al op mijn thuiskomst, waarbij mijn moeder onvermijdelijk in tranen zou uitbarsten. Vreugdetranen zouden het zijn, maar het lot besliste er anders over.

Vlakbij de Basiliek hoorde ik plots mijn naam roepen. De Ket en ik bleven pal staan en vreesden het ergste. Gelukkig vergisten we ons. Ik keerde me om en keek recht in de ogen van Oscar, de gemeentesecretaris die ooit mijn naam van de bevolkingslijsten schrapte. Het had niet mogen baten want ik werd opgepakt in het centrum van Brussel.

'Waar kom je vandaan?' vroeg Oscar, die nu de zestig voorbij was.

Toen ik hem vertelde dat we uit Berlijn waren gevlucht en ik hem de Ket voorstelde als mijn trouwe vriend, nam hij ons bij de arm.

'Als jullie nu naar huis gaan, zitten jullie in de kortste keren terug in Berlijn,' zei Oscar. 'Kom mee.

Ik breng jullie in veiligheid. Ik heb de leiding over een kleine weerstandsgroep. De bevrijding van Brussel kan niet lang meer uitblijven. In afwachting maken wij de aftocht van de Duitsers wat minder gemakkelijk.'

Beweren dat de woorden van Oscar ons als muziek in de oren klonken, zou overdreven zijn. Maar zowel de Ket als ikzelf zagen daar een mogelijkheid in om de Duitsers betaald te zetten voor wat ze ons en het Joodse volk hadden aangedaan.

Oscar loodste ons mee naar de rechterzijkant van de Basiliek, wat een gigantisch bouwwerk moest worden. Hij opende er een metalen deur die naar een ondergrondse doolhof van betonnen kelderruimtes leidde. We kwamen terecht in een betrekkelijk grote zaal, waar we een vijftiental jonge kerels aantroffen. Oscar stelde ze ons allemaal voor. Sommigen bevonden zich hier in dezelfde omstandigheden als wij, anderen hadden nooit een voet in Duitsland gezet.

Verder deelde Oscar ons mee dat we over een slaapbrits zouden beschikken, dat we de maaltijden gezamenlijk zouden gebruiken, dat we wat zakgeld konden krijgen en dat er een schietstand was, waar we zouden leren met wapens om te gaan. Uit de mond van Oscar klonk het allemaal zeer gewichtig en zeer georganiseerd, maar tijdens gesprekjes achteraf met onze lotgenoten beschouwden zij het voornamelijk als een spel waarbij er altijd dezelfde verliezers vielen: de Duitsers. Het belette niet dat het hier om een weerstand ging tegenover een vijand, die er niet zou voor terugdeinzen om slachtoffers te maken. 'Dáárom moeten jullie leren schieten en liefst in de roos,' maande Oscar ons aan.

We schreven vier augustus toen we eraan begonnen, na een zwoele nacht. We hadden geen oog dichtgedaan. Op de schietstand werd ons een wapen in de handen geduwd en zouden we les krijgen van een jonge vent, die men beter te vriend hield en die door de anderen "de bombardier" werd genoemd. Het wapen dat hij ons gaf, zag er onschuldig uit, maar "de bombardier" zei dat men er een olifant kon mee neerleggen. Hoe dan ook, na amper een halfuur wisten we hoe er mee om te gaan, maar "de roos" was nog ver af. Het duurde inderdaad nog een paar dagen vooraleer we de roos onder de knie hadden. We vergezelden Oscar naar het niet ver afgelegen Laarbeek bos, waar ik vroeger wel eens mijn naam in een boom had uitgehouwen met een zakmes. Nu troonde Oscar ons mee naar een jachthuisje, dat hij als het ware had omgedoopt tot een arsenaal dat, indien het ooit zou ontploffen, de hele gemeente met de grond zou gelijkmaken.

'Dit is onze opslagplaats,' zei Oscar fier. 'Soms ook ons toevluchtsoord.'

Waarschijnlijk vond Oscar dit het gepaste moment om ons te vertellen dat we eerstdaags met een opdracht zouden worden belast. Niet ver van de Basiliek bevond er zich een café, dat was uitgegroeid tot een lokaal waar nog alleen Duitse officieren binnenvielen. Omdat zijn vrouw hem bedrogen had, liet de baas van het bewuste café zich inschrijven voor het Oostfront. Sindsdien werd de bar als een thuishaven voor Duitse gegradeerden en zei men over de vrouw dat haar slaapkamer geen bedplaats was, maar een onthaalcentrum.

'We blazen de hele boel de lucht in,' huilde Oscar.

De Ket en ik vonden het geen opwekkend verhaal. Het was ook geen alleenstaand geval. Al vroeg nadat de Duitsers het land waren binnengevallen, doken dergelijke verhalen van bedrogen mannen op die zich voor het Duitse leger kandidaat hadden gesteld. Ze geloofden in "de nieuwe orde" van de Duitse huilebalk en hoopten een nieuwe toekomst op te bouwen.

Oscar had mij uitgekozen om het café op te blazen omdat ik hem verklapte dat ik er voor de oorlog wel eens binnen was geweest. Ik herinnerde me wel hoe het er vanbinnen uitzag en anderzijds zag ik in de opdracht de uiteindelijke voldoening om de verdwijning van Sonja te wreken. Ik zou het uniform aantrekken van een Duitse koerier en de bom in het café leggen, om dan als de bliksem te verdwijnen.

Vanzelfsprekend gingen wij het café en de omgeving even verkennen, wat mij een heel stuk wijzer maakte. Die hele wijk in de omgeving van de Basiliek had de jongste jaren grondige wijzigingen ondergaan en werd fel bebouwd, terwijl het vroeger meestal bestond uit grasvelden met koeien erop. De huidige Keizer Karellaan die de weg naar de kust opende, bestond helemaal niet.

Ik ontdekte in ieder geval dat er aan de achterkant van het café een open ruimte was, waarlangs ik me hopelijk uit de voeten kon maken. Terug in onze schuilplaats onder de Basiliek bespraken we samen met nog een paar jongens, de manier waarop we te werk zouden gaan. Het was vrij simpel. Ik zou de enige zijn die in uniform werd gestoken, en de bom zou zich in een aktetas bevinden die ik in het café kwijt diende te spelen.

Met nog twee kameraden zou de Ket van op afstand alles in de gaten houden.

We lieten een paar dagen voorbijgaan alvorens in actie te treden. De schietlessen waren goed verlopen, het eten dat Oscar in het dorp liet klaarmaken was degelijk. Ook de kennismaking met de andere jongens was meegevallen, ofschoon ze allemaal benieuwd waren hoe ik me uit de slag zou trekken. Ik werd zowaar getest. Tenslotte was er ikzelf die met een ei rondliep. Al de voorbije weken had ik in Berlijn van de toren geblazen dat ik een kopstuk van de nazi's koud wilde maken uit wraak voor Sonja. Nu stond ik voor een voldongen feit. Ik zou me in het hol van de leeuw begeven en het risico lopen het er niet levend vanaf te brengen, terwijl die oorlog nagenoeg voorbij was. Het veranderde niets aan de bedoeling.

Oscar besliste op welke dag en op welk moment we zouden starten. Het was een dag zoals een andere, maar niet voor mij. Mijn opdracht was niet te vergelijken met van op afstand iemand in de kijker te nemen en de trekker over te halen. Hier zou ik als het ware zélf met mijn kont op de bom zitten tot enkele seconden voor ze zou ontploffen.

Ik trok het uniform aan, keek in de aktetas of de bom goed was afgeregeld en begaf me op weg naar het café, gevolgd door de Ket en nog twee kompanen. Het was avond en de maan wierp een helder licht over de omgeving. Toen ik de deur van het café openduwde, werd ik zowaar verwelkomd door een wolk van sigarettenrook, wat erop wees dat er al heel wat Duitse kornuiten aanwezig waren. Sommigen waren zelfs al flink bezopen.

Niemand luisterde naar Rosita Serrano die een van haar liedjes kweelde langs de luidsprekers. Geen mens keek naar me om, terwijl ik een plaatsje vond naast de verwarmingsverspreider, die nu helemaal koud was. Alleen de bazin had me blijkbaar opgemerkt. Ze kwam naar me toe terwijl ik mijn aktetas naast mij op de grond plaatste, vlak bij het verwarmingstoestel.

'Bezoek jij ons voor het eerst?' vroeg ze lachend.

'Op aanraden van een vriend,' zei ik lief. 'Ik ben een koerier en moest hier in de buurt zijn. Kan ik hier een Weisbier krijgen?'

Het moet vertrouwd hebben geklonken, want alleen de Duitsers kenden het Weisbier. In Berlijn dronk ik het dikwijls. Het bazinnetje haastte zich achter haar toog en keerde weinig later terug met een schuimend Weisbier. Het smaakte wat bitter, maar ik genoot ervan. Ik keek sluiks op mijn polshorloge, om vast te stellen dat ik nog maar weinige minuten had vooraleer de bom zou ontploffen. Niemand vermoedde iets en niemand keek naar me om. Behalve het bazinnetje.

Ze stond alweer voor mij en vroeg lief hoe ik heette.

'Wolf,' zei ik en ik greep naar mijn buik. 'Ik moet dringend naar das Abort.'

'Daar,' kraaide ze.

Ik sprong op als door een wesp gestoken en liep naar de deur waarop "Abort" stond. Ik belandde op een koertje waar men zich op alle gebied kon ontlasten, maar met een katachtige sprong wipte ik over een muurtje en zette het op een lopen. Een honderdtal meter verder zag ik de Ket met de twee anderen, toen het cafeetje met een luide knal de lucht inging. Het was vuurwerk en de vlammen sloegen hoog op. In geen tijd bereikten we samen onze thuishaven onder de Basiliek.

De volgende dag werd de aanslag breed uitgesponnen en als een laffe terroristische daad bestempeld in de kranten, die onder controle van de nazi's verschenen. Het aantal slachtoffers werd fel overdreven. Oscar was echter in de wolken, maar meende toch mij wat te moeten overtuigen van de taak die de onze was en die niets te maken had met terreur. Eens temeer klonk dat het oorlog was. Ik vertelde Oscar dat ik zeer goed wist waarmee ik bezig was en dat mijn meisje waarschijnlijk het leven liet in Auschwitz.

Oscar kwam onmiddellijk op de proppen met een nieuwe opdracht. Het kon niet lang meer duren vooraleer het geallieerde leger in Brussel stond. Het lag voor de hand dat de Duitsers zich uit de voeten zouden maken. In dat vooruitzicht hadden ze langs de baan naar Asse een grote hoeveelheid benzine opgestapeld en onder bewaking gesteld. De Moffen kwamen nu al brandstof tekort en beschouwden deze opslagplaats als de grot van Ali Baba.

'We blazen de hele boel de lucht in!' keelde Oscar.

Het plan was zeker niet te vergelijken met de aanslag op een café. Deze opslagplaats waar duizenden liter brandstof stond opgestapeld, zou de vluchtende nazi's goed van pas komen. We zouden ons dus mogen verwachten aan een sterke bewaking. Misschien zou dit wel onze laatste weerstandsdaad zijn, wat iedereen hoopte.

We begonnen de ons opgelegde taak met een verkenningsbezoek aan de opslagplaats, die zich tussen Zellik en Asse bevond. De volledige opslagplaats schatten we op een oppervlakte van duizend vierkante meter, met aan de zijkant een houten barak, die dienst deed als slaapplaats evengoed als eetkamer voor de bewakers. Vier van hen wandelden stevig gewapend rond de opslagplaats, waarrond kippendraad werd gespannen. 's Avonds werd de hele opslagplaats hel verlicht. Niets kon aan de bewakers ontsnappen en op alles wat bewoog, werd geschoten. We waren met vier om enkele trillingen te ondergaan bij de gedachte aan het risico waaraan we ons zouden blootstellen.

De terugkeer naar de Basiliek verliep in stilte. Iedereen overwoog een beetje op welke manier we de meeste kans maakten om aan de bewakers te ontsnappen. Elk van ons wist nu al welke rol hij zou spelen bij de uitvoering van de opdracht. Ik zou de omheiningsdraden doorknippen en de weg vrij maken voor de Ket en de bombardier, die de springstof op de gepaste plek moesten aanbrengen, terwijl Lowietje zich op de achtergrond zou bevinden en op de knop zou drukken om de boel tot ontploffing te brengen. Oscar had zich alweer een uitstekend strateeg getoond. Alles was tot in de puntjes uitgewerkt, ook de aftocht met een kleine bestelwagen.

Twee dagen later zette Oscar het licht op groen. De nacht was donker, alsof de maan ons een handje toestak en haar brandvuur op nul had gedraaid. De ganse dag hadden we ons voorbereid en de bestelwagen volgepropt met de nodige springstof en het materiaal dat we zouden gebruiken. Veel aandacht ging naar de wapens. Alleen als de omstandigheden ons zouden dwingen, zouden we ze gebruiken.

Oscar stond erop dat we een stevig maal achter de kiezen zouden steken: 'Dat is nodig om te vermijden dat jullie met een gebrek aan energie af te rekenen zouden krijgen.' In werkelijkheid ondergingen we dat als "het laatste avondmaal", ofschoon ons gevoel voor humor de bovenhand hield. Niemand van ons beschouwde dit als een eventueel eindpunt. We hoopten allemaal dat het een eerste stap zou zijn naar de vrijheid. Niemand vreesde een gebrek aan energie en zeker niet een gebrek aan moed om ons volledig in te zetten. We moesten en zouden de Duitsers deze hak zetten en hun mogelijkheid voor een vlugge aftocht herleiden tot een slakkengangetje. Niets zou ons dat beletten.

De haas die Oscar had laten klaarmaken en waarvoor hij het hele Laarbeek bos op stelten had gezet, ging erin als zoete koek. Eerlijkheidshalve moet ik bekennen dat dergelijke beestjes niet tot mijn voorkeur behoorden. Gelukkig was het vergezeld van een lekker sausje, zodat mijn smaak geen oneer werd aangedaan en ik het met genot naar binnen werkte.

Om middernacht stonden we klaar om het lot uit te dagen en de opslagplaats aan te pakken. Onze gedrevenheid was niet te temperen. We stapten in het bestelwagentje dat ons naar de plaats zou brengen waar we ons lot in de weegschaal zouden leggen. We parkeerden het bestelwagentje op een kleine honderd meter van de opslagplaats. Nergens viel er een levend wezen te bespeuren en de hele omgeving was tot een duister land herschapen. Op dat uur was er van de toch al karige straatverlichting geen sprake meer.

We wapenden ons om toch maar niets aan het onvoorziene over te laten. Ieder van ons voorzag zich van het materiaal dat hem was toegewezen, waarna we de bestelwagen verlieten, wel oplettend om geen gerucht te maken. Gelukkig stonden er wat struiken op de berm waartussen we wat bescherming zochten. Dat was nodig want hoe dichter we de opslagplaats naderden, hoe klaarder het werd door de helle verlichting van de opslagplaats. We stopten op een paar meter van de omheining, een vlechtwerk van ijzeren draden. Het was mijn taak om daar een gat in te knippen, waardoor de Ket en de bombardier zich tot bij de opgeslagen brandstof konden begeven. Eenmaal de springstof geplaatst, zouden ze mij teken geven en kon ik Lowietje, die enkele meter achter mij post vatte, seinen dat alles in orde was.

Mijn blikken richtten zich tot de twee bewakers die hun ronde deden. Zodra ze een hoek van het veld met uitsluitend opgeslagen jerrycans omdraaiden, kroop ik tot bij de omheining en ik begon met mijn grote kniptang de draden door te knippen. De bewakers zouden mij slechts een dertigtal seconden laten, alvorens opnieuw in mijn gezichtsveld te verschijnen. Gelukkig lagen de jerrycans hoog opgestapeld en konden ze er niet over zien. Op het hele veld waren er ook geen vaten met brandstof te zien. Alle brandstof was op voorhand overgegoten in de jerrycans, teneinde geen tijd te verliezen met het overtappen uit de vaten, bij een dringende uittocht.

Toen de twee bewakers alweer verschenen, was het gat in de omheining groot genoeg om er een beer door te laten. Ik slaakte een diepe zucht en diende te wachten tot de bewakers opnieuw zouden verdwijnen. Het was een kwestie van een paar minuten, alleszins lang genoeg om het zweet op mijn voorhoofd aan te dikken. Ik smeekte God om ons zonder ongelukken uit dit hachelijk avontuur te helpen.

Mijn hart klopte hevig toen de twee bewakers rustig pratend de hoek omdraaiden. De Ket en de bombardier kropen door het gat en begaven zich onmiddellijk naar de plek waar ze de springstof zouden plaatsen. Dat gebeurde bliksemsnel. De Ket en de bombardier stonden klaar om terug te keren, toen er plots een Duitse bewaker voor mij stond. Ik maakte een beweging bij zijn plotse verschijning, wat hem deed uitroepen "Blijven staan" terwijl hij zijn geweer op mij richtte. Op dat ogenblik klonk er een schot en de bewaker zeeg in elkaar en bewoog niet meer. In een paar sprongen waren de Ket en de bombardier bij de omheining en wrongen zich door de opening. Op hetzelfde ogenblik begon er een sirene te loeien. Onmiddellijk stormden nog vier soldaten uit de barak. Ogenblikkelijk werd er geschoten en zeefden de kogels ons om het hoofd, terwijl we als de bliksem naar de bestelwagen holden. Lowietje kon nog vlug op de knop drukken en met een oorverdovende knal vlogen de jerrycans de lucht in en stond de hele opslagplaats in lichterlaaie. De vlammen sloegen hoog op terwijl de ene ontploffing na de andere voor een gigantische chaos zorgden. Ondertussen werd er nog voortdurend geschoten. Vlak bij de bestelwagen zeeg de Ket ineens neer. We sleepten hem tot in de bestelwagen, waarop de bombardier de starter indrukte en we als een stormwind vooruit schoten. Ofschoon we in de duisternis verdwenen, werd er achter ons nog verder geschoten.

Tijdens de helse rit naar Laarbeek bos waar Oscar ons opwachtte, keek ik naar de Ket, die niet meer bewoog. Ik probeerde hem wat rechter te trekken en merkte dat hij vol bloed zat. Hij was overduidelijk getroffen door een van de kogels die ons om de oren raasden. Ook Lowietje, die mij het leven had gered door de bewaker neer te schieten die me bedreigde, keek naar de Ket. 'Die jongen is dood,' zei hij stil. Pas dan drong het tot mij door wat er was gebeurd. 'De Ket kan en mag niet dood zijn,' huilde ik. 'Hij is mijn beste vriend!'

***

Zonder de Ket naast mij in zijn veel te lange jas, die hij nooit wilde afleggen, leek de wereld mij ontvolkt. Zijn dood had me zeer diep getroffen en mijn haat voor de Duitsers was nog toegenomen, voor zover dat nog mogelijk was. Oscar had erop aangedrongen om hem in het bos te begraven. Het was in stilte gebeurd, maar niet zonder een korte hulde en een toespraak van Oscar, die de inzet van de Ket en van ons allemaal roemde.

De dagen na de aanslag op de opslagplaats werd er met geen woord gerept in kranten over de gebeurtenis. Dat de Duitsers afdropen, was nu een feit. Behalve zij die niet anders konden dan blijven tot de laatste man.

Onze groep wachtte de gebeurtenissen af onder de Basiliek. Ik besefte nog steeds niet dat de Ket er niet meer was. Elk ogenblik zou hij voor mij staan, dacht ik. Niets was nog belangrijk.

Niet zo voor Oscar. De geallieerde legers stonden praktisch voor de deur van de Belgische hoofdstad, toen Oscar ons bij elkaar riep omdat hij ons zijn visie wou geven op de komende dagen. We waren het niet gewoon van hem, maar het klonk wat plechtig wat hij ons wilde mededelen. Het kwam erop neer dat hij ons wilde waarschuwen voor de gekke toestanden, die de bevrijding zou veroorzaken. 'Er zijn vooral de wraaklustigen,' begon hij zijn betoog. 'Er zal van ons worden verwacht dat we de verraders oppakken onder de bevolking. Zij die de bezetter rechtstreeks hebben geholpen. Het is een gevolg van elke oorlog. Een ander gevolg van de oorlog is het feit dat sommige vrouwen zich laten verleiden door de bezetter. Sommigen zullen van ons eisen dat we die vrouwen straffen voor hun gedrag. Ik wil erop wijzen dat het niet tot onze taak behoort en dat niets bewijst dat deze vrouwen de vijand behulpzaam zijn geweest in hun strijd tegen de geallieerden. Wij laten ze dus beter met rust.'

Waarom Oscar het nodig achtte ons met dergelijke raad op te zadelen, was ons een raadsel. Het stemde echter wel tot nadenken.

Voor het eerst bracht ik een bezoek aan mijn ouders. Mijn moeder zakte nagenoeg door haar knieën toen ze mij zag. Het was een zeer ontroerend moment, ook voor mij. Over onze weerstandsgroep heb ik geen woord gezegd, zoals Oscar me had gevraagd. Mijn vader stelde wel duizend vragen over Berlijn. Aan mijn verhaal kwam geen einde.

Op 3 september 1944 rolde de eerste geallieerde tank Brussel binnen. Het was een Britse. Meteen ontplofte de stad tot een gigantisch feest van vreugde. Het centrum van Brussel werd zowaar ingenomen door een stroom van mensen, die deze historische dag niet wilden missen. Niemand bleef onverschillig voor wat er gaande was, ofschoon de oorlog nog niet voorbij was. De Jappen wisten van geen ophouden. Hier kropen de vrouwen op de tanks en omhelsden de soldaten. De ene tank na de andere rolde de stad in en werd met bloemen onthaald. Er kwam zelfs champagne bij te pas, terwijl de muziek als het ware uit de hemel zinderde.

Deelnemen aan die feestvreugde zat er voor mij niet in. Ik miste de Ket. Zijn afwezigheid bleef me pijn doen. Niets kon mij opmonteren en het gemis van mijn vriend stak me tot in de keel. Hoe meer ik trachtte om mij van die kwelling te bevrijden, hoe meer de herinneringen op mij afkwamen en als zware molenstenen in mijn nek belandden. De Ket was niet alleen mijn vriend geweest, hij was ook mijn biechtvader, mijn raadgever en de opvanger van mijn kwade buien. Waar moest ik daar nu mee heen? Niemand die niet hetzelfde had doorgemaakt zou mij begrijpen, ze zouden me zelfs als een leugenaar en een fantast aankijken. Die oorlog was aan velen voorbijgegaan als een onweer, de ene dag wat zwaarder als de andere, maar zij op wie de nazi's een greep hadden, konden zich gemakkelijker een beeld vormen van wat een oorlog eigenlijk betekende. Een oorlog lost niets op. Zij die hem ontketenen, geloven in hun recht op vrijheid en zij die hem ondergaan, geloven in hun recht op verdediging. Niemand weet echter precies wat vrijheid is. Het komt er dus op neer te geloven dat men het weet, om er de strijd voor aan te gaan.

Maar wie zijn deze mensen die zich het recht toeeigenen om een oorlog te ontketenen omwille van HUN vrijheid. Eén ervan kennen we: Adolf Hitler!

Dat de oorlog nog niet was afgelopen, zouden we geweten hebben. Vele eetwaren bleven gerantsoeneerd en ofschoon Duitsland officieel had ingepakt en Hitler zelfmoord had gepleegd, bleven de Amerikanen zware strijd voeren tegen de Jappen. Er zou een atoombom nodig zijn om hen tot rede te brengen.

De bom met haar gigantische vernielingskracht ook werkelijk gebruiken is niet onmiddellijk een optie. Iemand moet daartoe het bevel geven en dat kan alleen de president van de Verenigde Staten zijn, Truman, de opvolger van Franklin Roosevelt. Vreemd toch. Zoals slechts één man een oorlog kan ontketenen, is het nu ook slechts één man die er een einde kan aan stellen. Want die atoombom afgooien zou beslissend zijn omwille van de duizenden slachtoffers die ze zou veroorzaken. En indien een eerste bom niet overtuigend is, volgt er een tweede.

Ondertussen stevenden de Amerikanen evenzeer als de Russen, af op Berlijn. Ik wist nu al dat de naam van deze stad voor eeuwig in mijn geheugen geprent zou blijven.

De oorlog zou eindigen met de zelfmoord van Adolf Hitler en Eva Braun eind april in de bunker van de Rijkskanselarij. Enkele uren voordien trad Hitler in het huwelijk met de veel jongere Eva Braun, die achteraf "de hoer van Hitler" werd genoemd. Pas na de oorlog lekte uit wie die Eva Braun eigenlijk was en hoe Hitler haar leerde kennen in 1931 te München, waar ze de winkeljuffrouw was van een fotograaf. In 1936 vestigde hij zich definitief met haar in zijn Arendsnest op de Obersalzberg te Berchtesgaden. Na hun zelfmoord in de bunker werden hun lijken verbrand in de tuin van de Kanselarij.

Ondanks het feit dat de oorlog in Europa nu voorgoed voorbij was, ontstond nagenoeg onmiddellijk de koude oorlog. Pas toen vernam men dat Stalin, de Russische dictator, evenveel mensen van zijn eigen volk had laten vermoorden dan Hitler met zijn Jodenvervolging. Ik vernam ook dat Sonja en haar ouders Auschwitz niet hadden overleefd. Samen met het verlies van de Ket voelde dit aan als een onophoudelijke pijn, die nooit meer zou verzachten.

In de Verenigde Staten oordeelde president Truman het ogenblik gekomen om de Jappen te tonen dat ze met hun aanval op Pearl Harbor niet alleen een slapende hond wakker hadden gemaakt, maar ook een leeuw. Een eerste atoombom kwam neer op Hiroshima, weinig later gevolgd door een tweede op Nagasaki. De Yankees hadden hun doel bereikt. De Jappen staken de armen in de lucht, na hun lijken te hebben geteld. Ze bleken helaas niet te tellen.

Inmiddels bleven de Amerikanen met de Russen in de keel zitten in Berlijn. De koude oorlog woedde in alle heftigheid, terwijl men in de Verenigde Staten jacht maakte op wie maar ook het woord "communisme" had uitgesproken. Vele artiesten werden hiervan het slachtoffer. Zelfs Charlie Chaplin, de man die de wereld had leren lachen als "Charlot", werd uit het land gebannen, al beweerde hij zelfs nog nooit een rode doek te hebben aangeraakt. Het mocht niet baten, maar toen hij uit wraak in 1969 de wereldpremière van zijn laatste film "De Gravin van Hong Kong" met Sofia Loren en Marlon Brando, organiseerde in de Parijse opera, haastten de Amerikanen zich om Chaplin in ere te herstellen. Tijdens een grote hulde te Hollywood dankte Charlie zijn publiek met tranen in de ogen. "De Gravin van Hong Kong" werd echter zijn slechtste film ooit.

Al kort na de bevrijding studeerde ik journalistiek en ik trad in 1949 in dienst als redacteur bij een grote Brusselse krant. Vrij vlug werd ik de vaste toneel- en filmcriticus van de krant, wat me in 1965 in de gelegenheid stelde om een televisiefestival bij te wonen in Berlijn. De Russen hadden er al "de muur van de schande" opgetrokken, wat me nog nieuwsgieriger maakte naar het leven in de stad, waaraan ik zovele herinneringen had.

De voorzienigheid zou me weer confronteren met beelden die ik had willen vergeten. Nu het dan toch moest gebeuren, zou ik ze niet uit de weg gaan. Integendeel, ik wilde zien wat er overbleef van Postambt 77, van de Yorkstrasse en nummer 119 in de Wilhelmstrasse. En ik wou naar Rangsdorf in de hoop er Gunther nog aan te treffen. Tenslotte... zou ik naar Anhalter Bahnhof gaan, waar ik bewust mijn hart in de armen van Romy had achtergelaten. Wat ik gedaan had, was onvergeeflijk, ofschoon ik hoopte dat ze er begrip voor had opgebracht. Wat zou er van die mooie Romy geworden zijn? Misschien was het beter om Anhalter Bahnhof toch maar van mijn programma te schrappen. De herinnering zou me naar de keel grijpen.

Het vliegtuig dat me naar Berlijn zou brengen diende te landen in Frankfurt, waar ik moest overstappen in een ander toestel, dat in een welbepaalde corridor moest vliegen, op gevaar af om door de Russen te worden neergeknald eenmaal buiten deze corridor. Het bezorgde me een wrang gevoel. In welke wereld waren we terechtgekomen?

Met een kamer in het uiterst moderne Hilton hotel en de voorbijgereden Gedachtniskirche vlak bij de Kurfürstendam, zou ik me stilaan een beeld beginnen vormen van het nieuwe Berlijn. Ik was in deze stad beland toen ze nog leefde alsof er geen vuiltje aan de lucht was. Ik had ze ook zien sterven, dag na dag brokkelde ze af om uiteindelijk door de Russen volledig aan flarden te worden geschoten. Van het kunstzinnige Berlijn bleef er niets over. Check Point Charlie, de scheiding tussen Oost en West, stond er als symbool van de nieuwe tijd. De Russen en de Amerikanen mochten dan wel zij aan zij hebben gevochten om het nazisme uit te roeien, nu stonden ze als kemphanen tegenover elkaar, waarvan Berlijn het uithangbord was.

Dit was ook opvallend in West-Berlijn, waar de winkels uitpuilden van eetwaren en luxeartikels, en Oost-Berlijn waar de straten nog maar half verlicht waren en de winkels uitpuilden van armoe. Dagelijks probeerden mensen van Oost naar West te vluchten. Van de vroegere Potsdamer Platz bleef er geen steen over.

Van het nummer 119 in de Wilhelmstrasse kon ik me zelfs niet voorstellen dat er ooit een pensionnetje had gestaan. En wat was er geworden van Melisande?

Vanuit de metro zag ik zoals destijds de dorpen voorbijglijden, die nu een ander kleedje hadden aangetrokken. Hier en daar werd het landelijke van weleer nu verstoord door een hoog opgetrokken appartementsgebouw. Bovendien was het herfst en het groen had stilaan plaatsgemaakt voor een okergele kleur. Wanneer ik het stationnetje van Rangsdorf achter me liet, meende ik een paar nieuwe villa's op te merken, wat er uiteindelijk allemaal op wees dat de Duitsers sinds het einde van de oorlog niet zo slecht hadden geboerd. Alleen het hotelletje van Gunther stond er nog steeds zoals het er altijd had gestaan. Buiten alle verwachting kwam Gunther me bij het binnentreden tegemoet, alsof ik hem pas gisteren had verlaten. Er hadden zich weliswaar twintig jaren op zijn gelaat getekend met een paar duidelijke beken. Wat zou ik hem verwijten? Tenslotte had ik ook al de veertig overschreden en mijn gezicht was ook niet rimpelloos gebleven.

Ik dacht dat hij me zou blijven knuffelen, terwijl hij duizend vragen op mij afvuurde. Zijn grote vreugde verdween toen ik hem over de dood van de Ket vertelde. 'Hij is gestorven als een held,' zei ik.

Op mijn beurt wilde ik weten hoe het verder verliep met Melisande.

'Ze hebben haar samen met professor Liebheimer op Alexanderplatz tegen de muur gezet,' zei Gunther stil. Ik voelde een diepe droefheid in mij opwellen. Dat vrouwtje toch. Ik had haar voor altijd aan mijn zijde kunnen koesteren. Eens temeer speelden mijn gedachten mij parten en ik meende de wereld draaiende te zien, met mensen die de innerlijke goedheid uitstraalden, maar die tot wreedheid in staat waren.

Gewoontegetrouw onthaalde Gunther me op een uitgelezen eetmaal, waarbij niets mocht ontbreken. Hij was zelfs niet vergeten dat ik hem ooit had verteld een verschrikkelijke zwak te hebben voor kalfsniertjes. Deze keer stonden ze op het menu, wat vooral inhield dat ik de bittere smaak vergat van de trieste herinneringen die we ophaalden. Op mijn vraag in hoeverre hij betrokken werd bij de executie van Claus von Stauffenberg, vertelde Gunther dat hij er helemaal niets mee te maken had en dat hij niet eens wist van de bom in de aktetas van von Stauffenberg. Zijn reputatie als oud-piloot en zijn houten been hadden hem altijd gevrijwaard van elke verdachtmaking.

Het weerzien met Gunther had mijn bezoek aan Berlijn goedgemaakt, maar er bleef de opdracht voor de krant. De televisie in België had haar intrede gedaan in 1953 en stond eigenlijk nog in de kinderschoenen. Zelfs in Berlijn tijdens het festival, dat plaats had in een grote hall nabij de Tiergarten, viel het op hoe pover er nog werd omgegaan met buitenopnamen. Programma's die buiten de studio werden opgenomen, slorpten een pak geld op en werden zoveel mogelijk vermeden. Er werd dan wel gezegd dat de televisie "een open venster op de wereld" was, voorlopig was het maar een klein kijkgat. Toch speelde het nieuwe medium al een belangrijke rol betreffende de informatie. De toekomst zou moeten uitwijzen of het ontstaan van de televisie heilzaam was voor de samenleving. Vreemd toch dat een man zoals Charles Chaplin, die in zijn films al bewezen had een knap psycholoog te zijn, nu verkondigde dat men met de film iets had uitgevonden om de beschaving te stimuleren en dat men met de televisie iets had uitgevonden om ze kapot te maken.

Anhalter Bahnhof stond in mijn geheugen geprent als de plek die misschien wel de belangrijkste rol had gespeeld in mijn gedwongen verblijf in de Duitse hoofdstad. Tal van herinneringen zweefden door mijn hoofd en ze waren niet allemaal om over naar huis te schrijven. Hier had ik de angstwekkendste momenten beleefd toen de kogels van de Gestapo ons rond de oren raasden. Alleen al de gedachte bezorgde me koude rillingen in de rug. Waarom was de Ket nu niet bij mij? Ik zal nooit wennen aan zijn afwezigheid. De Ket in zijn lange mantel en op zijn sleper in Postambt 77 symboliseerde voor mij de oorlog.

De grote hal van Anhalter Bahnhof zag er nog precies uit zoals toen. Alleen het oude vrouwtje met de gebakken worsten was er niet meer en de kerels van de Gestapo in hun lederen jassen en een deukhoed op het hoofd behoorden voorgoed tot het verleden. Toch onderging ik de sfeer van Anhalter Bahnhof alsof ik er nooit was weggeweest. Nochtans, de drukte in deze hal werd nu gevormd door mensen in goede doen. Het waren niet meer die oude arme dompelaars die hier wat warmte kwamen zoeken. Wat hadden die mensen zichzelf aangedaan en meteen ook de rest van Europa. En dat allemaal omdat die ene man het zo heeft gewild.

In gedachten verzonken kuierde ik wat rond, toen

iemand me op de schouder klopte. Ik keerde me om en keek recht in de ogen van Romy. Ze stond voor mij alsof de jaren op haar geen vat hadden gehad. Weliswaar stond er een vrouw, maar mooier dan Cleopatra toen ze tegenover Marc Antonius stond en zei dat ze van hem hield. Een vrouw beseft niet hoe mooi ze is wanneer ze zegt van jou te houden.

Maar Romy zei niks. Ze keek me aan alsof ze een ster zag die haar voor de voeten was gevallen. Dan sprak ze ingehouden.

'Ik geloof het niet...'

Een pijnlijke ontroering overmande me. Ik nam haar hand en noemde haar naam.

'Romy... dit is een geschenk van God...'

'Met een geschenk van God heeft het niets te maken... Twintig jaar...' zei ze. 'Twintig jaar heb ik op dit moment gehoopt. Ik heb ervoor gebeden...'

Mijn ogen werden vochtig terwijl ik de neiging voelde opwellen om haar in mijn armen te nemen en haar te kussen. Ik geloofde echt dat het terugzien van Romy geen toeval was en dat het geschreven stond. Ik kreeg het gevoel alsof ze altijd bij mij was geweest en...

'Waarom heb je zolang gewacht?' hoorde ik haar vragen. Romy barstte in tranen uit. Hier stonden we dan tussen al deze mensen, die ons niet eens aankeken. Ze liepen ons voorbij alsof we niet bestonden.

'Het is te laat,' lispelde Romy.

Op haar gezichtje las ik het diepste leed, ofschoon ik niet begreep wat ze bedoelde.

'Het is te laat,' zei ze opnieuw. 'Ik ben getrouwd en moeder van een zoon.'

Ik schrok en besefte dat ik veel vroeger naar Berlijn had moeten terugkeren. Ik had de trein en de liefde gemist en had geen verhaal op haar uitspraak. Als een automaat trok ik haar naar me toe en kust ik haar innig. Romy liet me begaan. Toen ik haar weer losliet, keek ze me met tranen in de ogen aan.

'Vaarwel,' zei ze stil en ze ging weg.

Ik keek haar na tot ze verdween in de massa. Romy verdween uit mijn leven zoals ze er was ingekomen: toevallig. Toen ik alweer in het vliegtuig zat, stond mijn besluit vast. Ik zou nooit meer, maar dan ook nooit meer naar Berlijn terugkeren.